비상 독해路
수능 국어
1등급

예비 고등~고등3 수능 개념을 바탕으로 실전 감각을 길러요	**| 독서, 고난도 독서 |** 기출 개념을 익히고 학습하는 수능 예상 문제집	**| 독서 기본, 독서 |** 기출로 실전 감각을 키우는 기출문제집
예비 중등~중등3 독해 전략을 바탕으로 독해력을 강화해요	**| 비문학 1~3권 |** 독해력을 단계별로 단련하는 중등 독해	
초등5~예비 중등 본격적으로 학습 독해 실력을 쌓아요	**| 비문학 1~2권 |** 독해의 넥스트레벨 고급 독해	**| 문학 1~3권 |** 시험에 꼭 나오는 작품 독해
예비 초등~초등6 바른 독해 습관과 독해 기초를 다져요	**| 1~12권 |** 교과서 필수 어휘를 익히는 테마 어휘	**| 1~6권 |** 단계별로 읽는 테마 독해

상상 그 이상

모두의 새롭고 유익한 즐거움이
비상의 즐거움이기에

아무도 해보지 못한 콘텐츠를 만들어
학교에 새로운 활기를 불어넣고

전에 없던 플랫폼을 창조하여
배움이 더 즐거워지는 자기주도학습 환경을
실현해왔습니다

이제, 비상은
더 많은 이들의 행복한 경험과
성장에 기여하기 위해

글로벌 교육 문화 환경의
상상 그 이상을 실현해 나갑니다

상상을 실현하는 교육 문화 기업 비상

초등

수능
독해

문학 2 | 개화기부터
일제 강점기까지

메인북

이렇게 공부해요!

메인북 을 완벽하게 활용하는 방법

수능 필수 문학 작품을 한눈에 보는
작품 비주얼

작품의 주요 장면 위주로
지문 학습

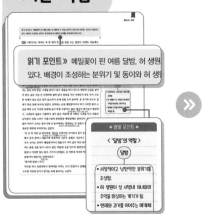

내용 이해를 완벽하게 확인하는
문제 학습

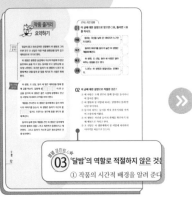

✱ **작품 비주얼▶** 작품의 주요 인물을 중심으로 정리된 사건, 배경, 소재 및 표현 방식을 읽으며 작품 전체의 내용을 머릿속으로 그려 봅니다.

✱ **읽기 포인트▶** 지문을 읽을 때 확인해야 하는 내용을 짚어 봅니다.

✱ **별별 포인트▶** 반드시 문제로 나오는 핵심 내용을 바로바로 정리합니다.

✱ **작품 줄거리 요약하기▶** 작품의 전체 줄거리를 읽으며 내용을 다시 확인합니다.

✱ **오엑스 확인 문제▶** 갈래별 기본 요소와 관련된 문제를 풀며 작품을 정리합니다.

✱ **별별 포인트 문제▶** 지문의 핵심 내용이 어떻게 문제로 나오는지 확인하며 풀어 봅니다.

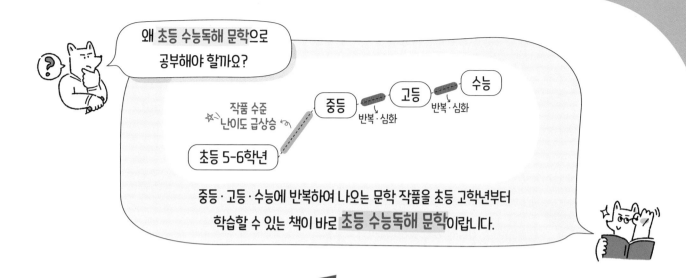

왜 **초등 수능독해 문학**으로 공부해야 할까요?

작품 수준 난이도 급상승

초등 5-6학년 → 중등 (반복·심화) → 고등 (반복·심화) → 수능

중등·고등·수능에 반복하여 나오는 문학 작품을 초등 고학년부터 학습할 수 있는 책이 바로 **초등 수능독해 문학**이랍니다.

가이드북 을 완벽하게 활용하는 방법

문학 독해의 어휘력을 높이는

어휘로 마무리

* 어휘 문제▶ 한 챕터가 끝날 때마다 어휘 문제를 풀어 보면서 문학 작품에 나오는 어휘들을 정리합니다.

* 한줌 Hint!▶ 힌트를 보면 문제를 푸는 데 도움을 얻을 수 있습니다.

문학 작품 목록을 한눈에 보는

수록 작품

* 수록 작품▶ 『초등 수능독해』에 실린 문학 작품은 중등 교과서, 고등 교과서, 수능, 모의 평가, 학력 평가에 반복하여 나오는 중요한 작품이랍니다. 어디에 나왔던 작품인지 한눈에 확인할 수 있습니다.

정답은 빠르게 해설은 친절하게

가이드북

* 정답과 해설▶ 왼편에서 정답만 빠르게 확인할 수도 있고, 오른편에서 자세한 해설을 보며 정답을 찾는 방법을 확인할 수도 있습니다.

* 〈보기〉 돋보기▶ 고난도 문제로 꼽히는 〈보기〉형 문제! 〈보기〉의 내용까지 꼼꼼하게 확인할 수 있습니다.

문학 ② 차례

개화기부터 일제 강점기까지

별별 인물

현대 소설	01 사랑손님과 어머니 _ 주요섭	8
현대 소설	02 삼대 _ 염상섭	14
현대 시	03 쉽게 씌어진 시 _ 윤동주	20
현대 시	04 나룻배와 행인 _ 한용운	24
현대 희곡	05 살아 있는 이중생 각하 _ 오영진	28
	별별 인물 어휘로 마무리	34

별별 사건

현대 소설	01 미스터 방 _ 채만식	38
현대 소설	02 운수 좋은 날 _ 현진건	44
현대 소설	03 봄·봄 _ 김유정	50
현대 시	04 유리창 1 _ 정지용	56
현대 시	05 고향 _ 백석	60
	별별 사건 어휘로 마무리	64

별별 배경

현대 소설	01 메밀꽃 필 무렵 _ 이효석	68
현대 소설	02 만세전 _ 염상섭	74
현대 소설	03 태평천하 _ 채만식	80
현대 시	04 님의 침묵 _ 한용운	86
현대 시	05 청포도 _ 이육사	90
	별별 배경 어휘로 마무리	94

별별 소재

현대 소설	01 동백꽃 _ 김유정	98
현대 소설	02 돌다리 _ 이태준	104
현대 소설	03 역마 _ 김동리	110
현대 시	04 진달래꽃 _ 김소월	116
현대 시	05 돌담에 속삭이는 햇발 _ 김영랑	120
	별별 소재 어휘로 마무리	124

함께 공부하면 좋아요!

문학 ❶

▶ 육이오 전쟁부터 현대까지

별별 인물
현대 소설 01 유자소전 _ 이문구
현대 소설 02 장마 _ 윤흥길
현대 소설 03 자전거 도둑 _ 박완서
현대 시 04 가난한 사랑 노래 _ 신경림
현대 수필 05 괜찮아 _ 장영희

별별 배경
현대 소설 01 수난이대 _ 하근찬
현대 소설 02 광장 _ 최인훈
현대 소설 03 꺼삐딴 리 _ 전광용
현대 시 04 성북동 비둘기 _ 김광섭
현대 시 05 추억에서 _ 박재삼

별별 사건
현대 소설 01 소음 공해 _ 오정희
현대 소설 02 일용할 양식 _ 양귀자
현대 소설 03 노새 두 마리 _ 최일남
현대 시 04 낙화 _ 이형기
현대 수필 05 구두 _ 계용묵

별별 소재
현대 소설 01 흐르는 북 _ 최일남
현대 소설 02 아홉 켤레의 구두로 남은 사내 _ 윤흥길
현대 시 03 성탄제 _ 김종길
현대 시 04 풀 _ 김수영
현대 희곡 05 결혼 _ 이강백

문학 ❸

▶ 삼국 시대부터 조선 시대까지

별별 인물
고전 소설 01 유충렬전 _ 작자 미상
고전 소설 02 심청전 _ 작자 미상
고전 소설 03 허생전 _ 박지원
고전 산문 04 동명왕 신화 _ 작자 미상
고전 시가 05 (가) 동짓달 기나긴 _ 황진이 (나) 묏버들 가려 _ 홍랑

별별 배경
고전 소설 01 박씨전 _ 작자 미상
고전 소설 02 홍길동전 _ 허균
고전 소설 03 양반전 _ 박지원
고전 시가 04 (가) 하여가 _ 이방원 (나) 단심가 _ 정몽주
고전 극 05 봉산 탈춤(제6과장 양반춤) _ 작자 미상

별별 사건
고전 소설 01 사씨남정기 _ 김만중
고전 소설 02 운영전 _ 작자 미상
고전 산문 03 흥보가 _ 작자 미상
고전 소설 04 춘향전 _ 작자 미상
고전 시가 05 가시리 _ 작자 미상

별별 소재
고전 소설 01 토끼전 _ 작자 미상
고전 소설 02 만복사저포기 _ 김시습
고전 시가 03 오우가 _ 윤선도
고전 시가 04 (가) 두꺼비 파리를 _ 작자 미상 (나) 개를 여남은이나 _ 작자 미상
고전 산문 05 규중 칠우 쟁론기 _ 작자 미상

별별

인물

01 **사랑손님과 어머니** _주요섭

02 **삼대** _염상섭

03 **쉽게 씌어진 시** _윤동주

04 **나룻배와 행인** _한용운

05 **살아 있는 이중생 각하** _오영진

별별 인물 어휘로 마무리

01

사랑손님과 어머니 주요섭

인물 외삼촌
옥희의 막내외삼촌으로
중학생임. 개방적인
사고방식을 지님.

소재 삶은 달걀
옥희와 아저씨를 가까워지게
하는 소재이자, 아저씨에 대한
어머니의 관심을 드러내는 소재.

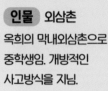

인물 박옥희('나')
이 글의 서술자로 여섯 살 여자아이.
어머니 뱃속에 있을 때 아버지가 죽음.
아저씨가 아버지였으면 하고 바람.

인물 어머니
옥희의 엄마. 스물 네 살의 과부로, 사회적
시선과 사랑손님에 대한 연정 사이에서
갈등하다가 사랑을 포기함.

인물 아저씨(사랑손님)
아버지의 친구. 옥희의 어머니에게 관심을
보이지만 어머니가 자신의 마음을
거절하자 결국 떠남.

배경 1930년대, 어느 시골의 작은 마을
사건 '어머니'와 '아저씨'의 서로에 대한
관심과 이별
보수적인 윤리관에서 자유 연애와 같은 개방적인
가치관으로 바뀌던 시기. 그러나 과부의 재혼은
사회적으로 인정받기 어려운 분위기였음.

읽기 포인트 » 여섯 살 여자아이인 옥희의 눈으로 주변 인물을 관찰하여 전달하고 있다. 옥희의 어머니와 아저씨의 행동을 통해 알 수 있는 두 사람의 마음을 파악하며 읽어 보자.

#1 어른들이 저희끼리 말하는 것을 들으니까, 그 아저씨는 돌아가신 우리 아버지와 어렸을 적 친구라고요. 어디 먼 데 가서 공부를 하다가 요새 돌아왔는데, 우리 <u>동리</u> 학교 교사로 오게 되었대요. 또, 우리 큰외삼촌과도 동무인데, 이 동리에
주로 시골에서, 여러 집이 모여 사는 곳.
는 <u>하숙</u>도 별로 깨끗한 곳이 없고해서 <u>윗사랑</u>으로 와 계시게 되었다고요. 또, 우
방세와 식비를 내고 남의 집에서 먹고 자는 일.　　　위채에 있는 사랑(바깥주인이 손님을 접대하는 곳).
리도 그 아저씨한테서 밥값을 받으면 살림에 보탬도 좀 되고 한다고요.

그 아저씨는 그림책들을 얼마든지 가지고 있어요. 내가 사랑방으로 나가면, 그 아저씨는 나를 무릎에 앉히고 그림책들을 보여 줍니다. 또, 가끔 과자도 주고요.

어느 날은 점심을 먹고 이내 살그머니 사랑에 나가 보니까, 아저씨는 그때에야 점심을 잡수셔요. 그래 가만히 앉아서 점심 잡숫는 걸 구경하고 있노라니까, 아저씨가 / "옥희는 어떤 반찬을 제일 좋아하노?"
하고 묻겠지요. 그래 삶은 달걀을 좋아한다고 했더니, 마침 상에 놓인 삶은 달걀을 한 알 집어 주면서 나더러 먹으라고 합니다.

나는 그 달걀을 벗겨 먹으면서,
"아저씨는 무슨 반찬이 제일 맛나요?"
하고 물으니까, 아저씨는 한참이나 빙그레 웃고 있더니,
✹"나도 삶은 달걀." / 하겠지요. 나는 좋아서 손뼉을 짤깍짤깍 치고,
'짤까닥짤까닥'의 준말. 작고 단단한 물체가 조금 가볍게 맞부딪치는 소리.
"아, 나와 같네. 그럼 가서 어머니한테 알려야지."
하면서 일어서니까, 아저씨가 꼭 붙들면서, / "그러지 마라."
그러시겠지요. 그래도 나는 한번 맘을 먹은 다음엔 꼭 그대로 하고야 마는 <u>성미</u>지
성질, 마음씨, 비위, 버릇 등을 통틀어 이르는 말.
요. 그래 안마당으로 뛰어들어 가면서,
"엄마, 엄마, 사랑 아저씨도 나처럼 삶은 달걀을 제일 좋아한대."
하고 소리를 질렀지요. / "떠들지 마라."
하고 어머니는 눈을 흘기십니다. ✹그러나 사랑 아저씨가 달걀을 좋아하는 것이 내게는 썩 좋게 되었어요. 그다음부터는 어머니가 달걀을 많이씩 사게 되었으니까요. 달걀 장수 <u>노파</u>가 오면 한꺼번에 열 알도 사고 스무 알도 사고, 그래선 두고
늙은 여자.
두고 삶아서 아저씨 상에도 놓고, 또 <u>으레</u> 나도 한 알씩 주고 그래요. 그뿐만 아니
틀림없이 언제나.
라, 아저씨한테 놀러 나가면 가끔 아저씨가 책상 서랍 속에서 달걀을 한두 알 꺼내서 먹으라고 주지요. 그래 그담부터는 나는 아주 실컷 달걀을 많이 먹었어요.

★ 별별 포인트 ★

〈 '삶은 달걀'의 역할 〉

- '나'와 아저씨가 친해지는 계기
- 아저씨에 대한 어머니의 관심을 드러내는 소재

#1 핵심 태그
아저씨가 삶은 달걀을
좋아한다는 말에 #
을 많이 사는 어머니

★ 별별 포인트 ★

〈 시대적 배경을 알려 주는 말 〉

"요새 세상에 내외합니까?"

➡ 외삼촌의 말을 통해 이 소설의 배경이 보수적인 윤리관에서 개방적인 가치관으로 변화하던 시기(1930년대)임을 알 수 있음.

✿ #2 나는 아저씨가 매우 좋았어요. 그렇지만 외삼촌은 가끔 툴툴하는 때가 있었
마음에 차지 않아서 몹시 투덜거리는.
어요. 아마 아저씨가 마음에 안 드나 봐요. 아니, 그것보다도 아저씨 잔심부름을
꼭 외삼촌이 하게 되니까, 그것이 싫어서 그러나 봐요. 한번은 어머니와 외삼촌이
말다툼하는 것까지 내가 들었어요. 어머니가

"야, 또 어디 나가지 말고 사랑에 있다가, 선생님 들어오시거든 상 내가야지."

하고 말씀하시니까, 외삼촌은 얼굴을 찡그리면서,

"제길, 남 어디 좀 볼일이 있는 날은 으레 끼니때에 안 들어오고 늦어지니……."
아침, 점심, 저녁과 같이 날마다 일정한 시간에 밥을 먹을 때.
하고 툴툴하겠지요. 그러니까 어머니는

"그러니 어쩌겠니? 너밖에 사랑 출입할 사람이 어디 있니?"

"누님이 좀 들고 나가구려. ✿ 요새 세상에 내외합니까?"
남녀 사이에 서로 얼굴을 마주 대하지 않고 피합니까.
어머니는 갑자기 얼굴이 발개지시고, 아무 대답도 없이 그냥 외삼촌을 향하여
눈을 흘기셨습니다. 그러니까 외삼촌은 흥흥 웃으면서 사랑으로 나갔지요.

#3 나는 유치원에 가서 창가도 배우고, 춤도 배우고 하였습니다. 유치원 여자
1900년대 초에 불리던 서양 악곡의 형식을 빌려 지은 간단한 노래.
선생님이 풍금을 아주 썩 잘 쳐요. 우리 유치원에 있는 풍금은 우리 예배당에 있는
발로 페달을 밟아 바람을 넣고 손가락으로 건반을 쳐서 소리내는 악기.   예전에 '교회'를 이르던 말.
풍금과는 아주 다른데, 퍽 조그마한 것이지마는 소리는 썩 좋아요. 그런데 우리
집 윗간에도 유치원 풍금과 똑같이 생긴 것이 놓여 있는 것이 갑자기 생각이 났어
온돌방에서 아궁이로부터 먼 부분. 굴뚝에 가깝다.
요. 그래 그 날, 나는 집으로 오는 길로 어머니를 끌고 윗간으로 가서,

"엄마, 이거 풍금 아니야?" / 하고 물으니까, 어머니는 빙그레 웃으시면서,

"그렇단다. 그건 어찌 알았니?"

"우리 유치원에 있는 풍금이 이것과 똑같은데 무얼. 그럼 엄마도 풍금 칠 줄 알
아?"

하고 나는 다시 물었습니다. 그것은 내가 이때껏 한 번도, 어머니가 이 풍금 앞에
앉은 것을 본 일이 없기 때문입니다. / 어머니는 아무 대답도 아니 하십니다.

"엄마, 이 풍금 좀 쳐 봐!"

하고 재촉하니까, 어머니 얼굴이 약간 흐려지면서,
어떤 일을 빨리하도록 조르니까.
"그 풍금은 네 아버지가 날 사다 주신 거란다. 네 아버지 돌아가신 후에는, 그 풍
금은 이때까지 뚜껑도 한 번 안 열어 보았다……."

이렇게 말씀하시는 어머니 얼굴을 보니까 금방 또 울음보가 터질 것만 같이 보
참다못하여 터뜨린 울음을 비유적으로 이르는 말.
여서, 나는 그만

"엄마, 나 사탕 주어." / 하면서 아랫방으로 끌고 내려왔습니다.

#4 아저씨가 사랑방에 와 계신 지 벌써 여러 밤을 잔 뒤입니다. 아마 한 달이나 되었지요. 나는 거의 매일 아저씨 방에 놀러 갔습니다. 어머니는 나더러 그렇게 가서 귀찮게 굴면 못쓴다고 가끔 꾸지람을 하시지만, 정말인즉 나는 조금도 아저씨에게 귀찮게 굴지는 않았습니다. 도리어 아저씨가 나에게 귀찮게 굴었지요.

✯ "옥희 눈은 아버지를 닮았다. 고 고운 코는 아마 어머니를 닮았지, 고 입하고! 응, 그러냐, 안 그러냐? 어머니도 옥희처럼 곱지, 응? ⋯⋯."

이렇게 여러 가지로 물을 적도 있었습니다. 그래서 나는

"아저씨, 입때 우리 엄마 못 봤어요?"
_{지금까지. 아직까지.}

하고 물었더니, 아저씨는 <u>잠잠합니다</u>. 그래 나는 / "우리 엄마 보러 들어갈까?"
_{말없이 가만히 있습니다.}

하면서 아저씨 소매를 잡아당겼더니, 아저씨는 펄쩍 뛰면서,

"아니, 아니, 안 돼. 난 지금 <u>분주해서</u>."
_{이리저리 바쁘고 어지러워서.}

하면서 나를 잡아끌었습니다. 그러나 정말로는 무슨 그리 분주하지도 않은 모양이었어요. 그러기에 나더러 가란 말도 않고, 그냥 나를 붙들고 앉아서 머리도 쓰다듬어 주고 뺨에 입도 맞추고 하면서,

✯ "요 <u>저고리</u> 누가 해 주지? ⋯⋯ 밤에 엄마하고 한자리에서 자니?"
_{한복의 윗옷.}

하는 등 쓸데없는 말을 자꾸만 물었지요!

✯ 그러나 웬일인지 나를 그렇게 <u>귀애해</u> 주던 아저씨도, 아랫방에 외삼촌이 들
_{귀엽게 여겨 사랑해.}
어오면 갑자기 태도가 달라지지요. 이것저것 묻지도 않고 나를 꼭 껴안지도 않고, <u>점잖게</u> 앉아서 그림책이나 보여 주고 그러지요. 아마 아저씨가 우리 외삼촌을 무
_{말과 행동, 태도가 의젓하고 신중하게.}
서워하나 봐요.

하여튼, 어머니는 나더러 너무 아저씨를 귀찮게 한다고, 어떤 때에는 저녁 먹고 나를 방 안에 가두어 두고 못 나가게 하는 때도 더러 있었습니다. 그러나 조금 있다가 어머니가 바느질에 정신이 팔리어서 <u>골몰하고</u> 있을 때, 몰래 가만히 일어나
_{다른 생각을 할 여유도 없이 한 가지 일에 파묻혀.}
서 나오지요. 그런 때에는 어머니는, 내가 문 여는 소리를 듣고서야 퍼뜩 정신을 차려서 쫓아와 나를 붙들지요. 그러나 그런 때는 어머니는 골은 아니 내시고,

"이리 온. 이리 와서 머리 빗고⋯⋯."

하고 끌어다가 머리를 다시 곱게 땋아 주시면서,

✯ "머리를 곱게 땋고 가야지, 그렇게 되는 대로 하고 가면 아저씨가 흉보시지 않니? / 하시지요. 또, 어떤 때에는 머리를 다 땋아 주시고는,

"응, 저고리가 이게 무어니?"

하시면서 새 저고리를 내어 주시는 때도 있었습니다.

★ 별별 포인트 ★

< '사랑손님'과 '어머니'의 심리 >

사랑손님
(아저씨) ── 옥희의
어머니

서로 관심이 있음.

• 사랑손님은 옥희에게 옥희 어머니에 대해 이것저것 물어봄.

• 어머니는 옥희가 사랑방에 갈 때 예쁘게 꾸며 줌.

#4 핵심 태그

_____ 에 대한

아저씨의 관심과 아저씨에 대한 어머니의 관심

작품 줄거리 요약하기

앞부분 줄거리

여섯 살인 옥희는 스물 네 살의 과부인 어머니와 중학교에 다니는 외삼촌과 함께 산다. 어느 봄날 큰 외삼촌이 하숙을 할 사람으로 죽은 아버지의 친구인 아저씨를 데리고 온다.

제시 장면 줄거리

1 ☐☐ 에 머물게 된 아저씨가 자신과 마찬가지로 **2** ☐☐☐☐ 을 제일 좋아한다는 사실을 옥희가 어머니에게 알리자, 어머니는 그 다음부터 달걀을 많이 산다. 옥희가 사랑방에 갈 때마다 아저씨는 옥희에게 어머니에 대해 여러 가지를 묻고, 어머니도 옥희를 예쁘게 차려입혀 보낸다.

뒷부분 줄거리

옥희는 아저씨와 함께 뒷동산에 올라갔다가 아저씨가 아빠였으면 하는 소망을 말한다. 어느 일요일, 예배당에서 옥희가 아저씨를 발견하고 아는 척을 하자 아저씨와 어머니는 둘 다 얼굴이 빨개진다.

옥희는 벽장 속에 들어갔다가 잠이 들어 어머니를 울리게 한 일이 미안하여 유치원에서 들고 온 꽃을 아저씨가 주었다고 거짓말한다. 어머니는 꽃을 소중히 간직하고 밤에는 풍금을 타며 노래도 부른다.

하루는 어머니가 아저씨에게 받은 봉투에 들어 있는 하얀 종이를 보고 얼굴이 파랗게 질린다. 며칠 뒤 옥희를 통해 어머니가 준 손수건을 받은 아저씨의 얼굴도 파래진다. 어느 날, 아저씨는 사랑을 떠나고 어머니는 더 이상 달걀을 사지 않는다.

오엑스 확인 문제

01 이 글에 대한 설명으로 맞으면 ○표, 틀리면 ×표를 하시오.

인물 ‘나’는 여섯 살 난 남자아이이다. ☐

사건 아저씨와 어머니는 서로에게 관심이 있다. ☐

배경 아저씨는 옥희네 집의 안채에 머물고 있다. ☐

소재 ‘삶은 달걀’은 어머니가 제일 좋아하는 반찬이다. ☐

02 ‘나’에 대한 설명으로 적절하지 <u>않은</u> 것은?

① 유치원에 다니는 여자아이이다.
② 어머니, 외삼촌과 한집에 살고 있다.
③ 사랑에 하숙하게 된 아저씨를 좋아한다.
④ 어머니가 사랑손님과 만나는 것을 싫어한다.
⑤ 간혹 어머니를 생각하는 어른스러운 모습도 보인다.

레벨 포인트 ☆
03 보기 에서 설명하는 소재로 적절한 것은?

보기
• ‘나’와 아저씨가 친해지는 계기가 되는 소재
• 아저씨에 대한 어머니의 호감과 관심을 드러내는 소재

① 과자　　　　② 풍금
③ 그림책　　　④ 삶은 달걀
⑤ 새 저고리

04 이 글의 시대적 배경을 짐작하게 해 주는 말로 적절한 것은?

① 창가
② 그림책
③ 중학생
④ 바느질
⑤ 유치원

별별 포인트! ☆
05 #2의 '어머니'와 '외삼촌'의 대화에 대한 설명으로 적절하지 <u>않은</u> 것은?

> "그러니 어쩌겠니? 너밖에 사랑 출입할 사람이 어디 있니?"
> "요새 세상에 내외합니까?"

① 외삼촌은 어머니의 심부름을 성가셔 한다.
② 어머니와 사랑 아저씨는 사이가 좋지 않다.
③ 외삼촌은 개방적 사고방식을 가진 사람이다.
④ 어머니는 남녀가 같은 공간에 있어서는 안 된다고 생각한다.
⑤ 봉건적 사회에서 근대적 사회로 변해가는 시기였음을 알 수 있다.

별별 포인트! ☆
06 '어머니'가 '아저씨'에게 관심이 있다는 사실을 알려 주는 내용이 <u>아닌</u> 것은?

① 풍금을 쳐 달라는 옥희의 말에 얼굴이 흐려짐.
② 달걀을 많이 사서 아저씨 상에 반찬으로 올림.
③ 내외하느냐는 외삼촌의 말을 듣고 얼굴이 발개짐.
④ 사랑방에 가는 옥희에게 새 저고리를 입혀서 보냄.
⑤ 아저씨에게 놀러 가는 옥희의 머리를 곱게 땋아 줌.

별별 포인트! ☆
07 '아저씨'가 밑줄 친 부분과 같이 행동하는 이유로 적절한 것은?

> 그러나 정말로는 무슨 그리 분주하지도 않은 모양이었어요. 그러기에 나더러 가란 말도 않고, 그냥 나를 붙들고 앉아서 머리도 쓰다듬어 주고 뺨에 입도 맞추고 하면서,
> "요 저고리 누가 해 주지? …… 밤에 엄마하고 한자리에서 자니?"
> 하는 등 쓸데없는 말을 자꾸만 물었지요!

① '나'의 어머니에게 관심이 있기 때문에
② '나'의 외삼촌과 친해지고 싶었기 때문에
③ '나'가 자꾸 놀러 오는 것이 귀찮았기 때문에
④ 원래 적극적이고 호기심이 많은 성격이기 때문에
⑤ 사랑에서 시간을 보낼 방법이 딱히 없었기 때문에

08 글쓴이가 이 글의 말하는 이를 어린아이로 설정한 효과로 적절하지 <u>않은</u> 것은?

① 어린아이의 천진난만한 말투로 독자에게 웃음을 준다.
② 어린아이의 시선으로 어른들의 행동을 그대로 전달한다.
③ 어머니와 아저씨의 내면 심리를 정확하고 섬세하게 알려 준다.
④ 자칫하면 뻔한 사랑 이야기로 흐를 수 있는 이야기를 순수하고 아름답게 표현한다.
⑤ 말하는 이가 설명하지 못하는 숨은 내용을 읽는 사람이 상상하며 읽도록 자극한다.

13

8문제 중에
_____ 문제 맞혔어!

02

삼대 염상섭

일 대

인물 조의관

덕기의 조부. 집안의 제사와 가문의 명예를 키워
나가는 것을 가장 큰 일로 여기는 구세대적 인물.
덕기에게 재산권을 넘기려고 함.

인물 수원집

조의관의 첩. 재산을
독차지하려고 조의관을
독살하지만, 덕기 때문에
재산을 차지하는 데는
실패함.

제사와
재산 문제로 대립

신뢰와 애정

이 대

인물 조상훈

덕기의 아버지. 미국 유학까지 마친 지식인이자
신실한 기독교 신자이나, 실상은 아들의 동창인
홍경애와의 불륜뿐만 아니라 노름 및
술에 빠진 위선자

홍경애 문제,
재산 문제로 대립

삼 대

인물 조덕기

일본 유학을 다녀온 신세대. 공산주의자인 친구
병화를 이해하려고는 하지만, 현실적으로
판사나 변호사가 되려는
중도적인 인물

배경 1930년대 전후 일제 강점기, 서울(조의관 집)

사건 삼대 간에 벌어지는 세대 간의 갈등

할아버지는 봉건적 가치를 중시하는 구세대를, 아버지는
신교육을 받았지만 타락한 개화기 세대를, 이들은 식민지
상황을 극복하고 새로운 가치관을 찾으려는 신세대를 상징함.

#1 ✄ "너, 어째 왔니? 오늘은 예배당에 안 가는 날이냐?"

예전에 '교회'를 이르던 말.

영감은 얼굴이 발끈 취해 올라오며, 윗목에 숙이고 서 있는 아들을 쏘아본다.

✄ "어서 가거라! 여기는 너 올 데가 아니야! 이 자식아, 나이 오십 줄에 든 놈이 젊은것들을 앞에 놓고 철딱서니 없이 무엇이 어쩌고 어째? 조상을 꾸어 왔어? 꾸어 온 조상은 자기네 자손만 도와? 배우지 못한 자식……!"

영감은 금방이라도 숨이 넘어가려는 사람처럼 헐떡거리며 벌건 목에 푸른 힘줄이 벌렁거린다. 상훈이는 여전히 고개를 숙이고 한구석에 섰다.

"너도 내가 낳아 놓은 자식이면야 사람이겠구나? 부모의 혈육을 타고났으면 조상은 알겠구나? 젊은 애들이 주책없는 소리를 하더라도 꾸짖고 가르쳐야 할 것

이랬다저랬다 하여 몹시 실없는.

이 되려 철부지만도 못한 소리를 텅텅 하니 이게 집안이 되려고 이러는 거란 말

철없는 어린아이.

이냐, 안 되려고 이러는 거란 말이냐?"

여기서 영감은 한숨을 돌리고 나서 다시 목소리를 높인다.

"이 집안에서 나만 눈을 감아 보아라! 집안 꼴이 무에 되나? 가거라! 썩, 썩 나가거라! 조상을 꾸어 왔다니 너는 네 아비도 꾸어 왔겠구나? 꾸어 온 아비면야 조금도 네게는 도울 게 없을 게다! 다시는 내 눈앞에 뜨일 생각도 말아라!"

오른손에 든 긴 담뱃대를 들었다 놓았다 내밀었다 들이켰다 하며 펄펄 뛴다.

사천 원 돈이나 드는 줄 모르게 들인 것을 속으로 앓고 또 앞으로 돈 쓸 걱정을 하는 판에, 애를 써 해 놓은 일에 대하여 자식부터라도 그 따위 소리를 하는 것이 귀에 들어오니 이래저래 화는 더 나는 것이다. 게다가 원래 못마땅한 자식이요, 또 오늘은 친기라 제사 반대군을 보니 가만 있어도 무슨 야단이든지 날 줄은 누구

부모님 제사.

나 짐작했지만, 마침 거리가 좋아서 야단이 호되게 된 것이다.

"아니에요, 그런 말씀이 아니에요. 아저씨께서 잘못 들으셨나 봅니다."

창훈이는 속으로는 시원하다고 생각하면서도 인사치레로 한마디 하였다.

성의 없이 겉으로만 하는 인사.

"잘못 듣다니? 내가 소리를 듣지 못하는 병이라도 있단 말인가?"

"그만해 두세요. 상훈 군도 달리 그렇겠습니까? 돈이 귀한 통에 여차하면 돈 쓸 일이 생기니까 그것을 걱정해서 그러는 것이지요."

창훈이는 이렇게도 변명해 주었다. 그러나 상훈이로서는 때리는 사람보다 말리는 사람이 더 미웠다.

★ 별별 포인트 ★

< '조의관'과 '조상훈'의
말하기 방식 >

조의관
• 아버지로서의 권위를 내세움.
• 아들의 비윤리적인 행동을 들춰 인신공격을 함.

조상훈
• 아버지의 잘못을 돌려 말함.
• 아버지가 못마땅하지만 공손한 태도를 잃지 않음.

#2 핵심 태그
대동보에 들어간 #
과 가치관의 차이로 말싸움하는
상훈이와 조의관

#2 "아버님께서 하시는 일에……."

조금 뜸하여지며 부친이 쌈지를 풀어서 담배를 담는 동안에 상훈이는 나직이 말을 꺼냈다.
담뱃잎을 담은 작은 주머니.

"……돈 쓰신다고만 하는 것도 아닙니다마는, 어쨌든 공연한 일을 만들어 내는 사람들이 첫째 잘못이란 말씀입니다."

"무에 어째 공연한 일이란 말이냐?" / 부친의 말기운이 좀 낮추어졌다.

"대동보소만 하더라도 족보 한 질에 오십 원씩으로 만들었다 하니, 그 오십 원
통합 족보인 대동보를 만드는 사무소.   여러 권으로 된 책의 한 벌을 세는 단위.
씩을 꼭꼭 거들어들이면 무엇 하자고 삼사천 원이 추가로 들겠습니까?"

"삼사천 원은 누가 삼사천 원 썼던?"

영감은 아들의 말이 옳다고는 생각하였으나, 실상 그 삼사천 원이란 돈이 족보 박는 데에 직접으로 들어간 것이 아니라, ○○ 조씨로 대를 이을 아들이 없는 집의 계통을 이어서 한집안에 속하려 한즉, 군식구가 늘면 양반의 진국이 묽어질까 보아 반대를 하는 축들이 많으니까 그 입들을 씻기 위하여 쓴 것이다. 하기 때문에 난봉 자식이 난봉 피운 돈 액수를 줄이듯이, 이 영감도 실상은 한 천 원 썼다고 하
술과 여자에 빠져 행실이 추저분한 사람.
는 것이다. 중간의 협잡배는 이런 약점을 노리고 우려 쓰는 것이지만 이 영감으로
옳지 않은 방법으로 남을 속이는 무리.
서는 멀쩡한 돈 가지고 이런 병신 구실 해 보기는 처음이다.

"그야 얼마를 쓰셨든지요. 그런 돈은 좀 유리하게 쓰셨으면 좋겠다는 말씀입니다."

"어떻게 유리하게 쓰란 말이냐? 너같이 오륙천 원씩 학교에 디밀고 제 손으로 가르친 남의 딸자식 꾀어내는 것이 유리하게 쓰는 방법이냐?"

아까부터 상훈이의 말이 화롯가에 앉아서 폭발탄을 만지작거리는 것 같아서 위태위태하더라니 겨우 가라앉으려던 영감의 감정에 또 불을 붙여 놓고 말았다. 상훈이는 어이가 없어서 얼굴이 벌게진다.

부친의 소실 수원집과 경애 모녀와는 뜻하지 않게 한 고향이다. 처음에는 감쪽
정식 아내 외에 데리고 사는 여자.
같이 속여 왔으나, 수원집만은 여러 가지로 인연이 닿아서 경애 모녀의 코빼기라도 못 보았건마는 소문을 뻔히 알고, 따라서 아이를 낳은 뒤에는 집안에서 다 알게 되었던 것이다. 덕기 자신부터 수원집의 입에서 대강 들어 안 것이다. 그러나 상훈이 내외끼리 몇 번 싸움질이 있은 외에는 노 영감님도 이때껏 눈감아 버린 것이요, 경애가 살고 있는 그 집에 대하여도 부친이 채근한 일은 없는 것이라서 지금처
어떤 일의 내용, 원인, 근원을 캐어 알아낸.
럼 많은 사람이 모인 자리에서 아들에게 대하여 학교에 돈 쓰고 제 손으로 가르친 남의 딸 꾀어내었다는 말을 터놓고 하는 것을 들으니 아무리 부친이 홧김에 한 말이라 하여도 듣기에 얼굴이 붉어지도록 부끄럽고 부자간이라도 너무 야속하였다.

#3 ✡ "아버님께서는 너무 심한 말씀을 하십니다마는, 어쨌든 세상에 좀 할 일이 많습니까? 교육 사업, 도서관 사업, 그 외 지금 조선어 자전 편찬하는 데……."

<small>한자의 뜻과 음을 풀이한 책.</small>

상훈이도 조심도 하려니와 기를 부드럽게 하여 차근차근히 이왕지사 말이 나왔

<small>이미 지나간 일.</small>

으니 할 말은 다 하겠다는 듯이 말을 이어 나가려니까 또 벼락이 내린다.

"듣기 싫다! 누가 네게 그따위 설교를 듣자던? 어서 가거라."

✡ "하여간에 말씀입니다. 지난 일은 어쨌든, 지금 이 판에 별안간 치산이란 마땅

<small>산소를 매만져서 다듬음.</small>

한 일입니까? 치산만 한대도 모르겠습니다마는 서원을 짓고 유생들을 몰아다

<small>조선 시대에 유생(유학을 공부하는 선비)들이 학문하는 곳.</small>

놓으시렵니까? 돈도 돈이거니와 지금 시대에 마땅한 일입니까?"

상훈이는 아까보다 좀 더 말하는 기세를 높여서 반대를 하였다.

"잔소리 마라! 그놈, 나가라니까 점점 더하고 섰고나. 내가 무얼 하든 네가 무슨 상관이란 말이냐? 내가 죽으면 동전 한 닢이라도 너를 남겨 줄 줄 아느냐? 너는 이후로는 아무리 굶어 죽는다 하여도 한 푼도 없다. 너는 없는 셈만 칠 것이니 까……, 너희들도 다아 들어 두어라."

하고 제사를 위해 모인 일가친척들을 돌려다 보며 말을 잇는다.

✡ "내 재산이라야 얼마 있는 게 아니다마는, 반은 덕기에게 물려줄 것이요, 그 나머지로는 내가 쓰고 싶은 데 쓰다 남으면 공평히 나누어 주고 갈 테다. 공증인

<small>증서의 작성과 인증을 처리하는 사람.</small>

을 세우든 변호사를 불러 대든 하여 뒤를 깡그러뜨려 놓을 것이니까 너는 인제

<small>일을 수습하여 마무리하여.</small>

는 남 된 셈만 쳐라. 내가 죽으면 네가 머리를 풀 테냐, 상복을 입을 테냐?"

영감은 사실 땅문서도 차츰차츰 덕기의 명의로 바꾸어 놓아 가는 판이요, 반은

<small>문서상 권한과 책임이 있는 사람.</small>

자기가 쓰다가 남겨서 수원집과 막내딸의 명의로 물려줄 생각이다. 만일에 십오 년 더 사는 동안에 아들 하나를 더 본다면 물론 그 아들을 위하여 반은 물려줄 생 각도 하고 있는 터이다.

이때까지 술에 취하면 주정으로 이런 말을 하는 것을 듣기도 많이 하였지만, 오 늘은 친기라 하여 술 한 잔 안 자신 이 영감이 맑은 정신으로 여러 젊은 애들 앞에 서 떠들어 놓는 것은 처음이다. 그래야 이 방 안에 들어앉은 사람들은 고사하고 이 집안 속에서 자기편을 들어 줄 사람이라고는 하나 없구나 하는 생각을 하니 상훈 이는 새삼스러이 고독을 느끼고 모든 사람이 야속하였다.

"애비, 에미도 모르고 계집, 자식도 모르는 너 같은 놈은 고생을 좀 해 봐야 한 다. 내가 돈이 있으니까 네가 한 달에 한 번이라도 들여다보는 것이지 내가 아무 것도 없어 봐라. 돌아다보기는커녕 고려장이라도 족히 지낼 놈이 아니냐. 어서

<small>노인을 산 채로 버려 두었다가 죽은 뒤에 장사 지냈다는 일.</small>

나가거라. 이 자식, 조상을 꾸어 왔다는 자식은 조가가 아니다."

★ 별별 포인트 ★

〈 '조의관'과 '조상훈'의 주된 관심사 〉

차이점	
조의관	조상훈
조상(가문), 제 사, 족보, 치산	교육 사업, 도서 관 사업, 조선 어 자전 편찬

↓

공통점
'돈'을 중요하게 생각함.

#3 핵심 태그

#＿＿＿＿에게 재산을 물려줄 것이라고 공개적으로 말하고 상훈이를 내쫓는 조의관

<small>02 삼대</small>

17

작품 줄거리 요약하기

01 이 글에 대한 설명으로 맞으면 ○표, 틀리면 ×표를 하시오.

앞부분 줄거리

일본에서 유학 중이던 조덕기는 할아버지 조의관의 부름을 받고 잠시 귀국하였다가 친구 김병화와 홍경애를 만난다.

인물 조의관과 조상훈은 부자지간이다. ☐

제시 장면 줄거리

제사 문제와 **1** ☐☐ 를 만드는 일을 두고 조의관과 조상훈 사이에 갈등이 일어난다. 조의관은 자신이 하는 일을 반대하는 아들 상훈이에게 크게 화를 낸다. 결국 조의관은 사람들 앞에서 자신의 **2** ☐☐ 중에서 절반을 덕기에게 물려줄 것이라고 말하고 상훈이를 내쫓는다.

사건 상훈이와 창훈이가 한편이 되어 조의관과 싸운다. ☐

배경 일제 강점기 중산층 집안에서 벌어지는 일을 다룬다. ☐

소재 조의관과 조상훈은 둘 다 '돈'을 중요하게 여긴다. ☐

뒷부분 줄거리

학업을 마치기 위해 다시 일본으로 간 덕기는 조의관이 위독하다는 소식을 듣고 다시 집으로 돌아온다. 덕기는 조의관이 아픈 것이 수원집과 창훈, 지 주사, 최 참봉 일당의 음모 때문이라는 것을 알아낸다.

조의관은 결국 수원집에게 독살당하고 그의 유언대로 덕기가 재산을 물려받는다. 상훈이는 이에 불만을 품고 유서와 토지 문서가 든 금고를 훔쳐 달아나다가 경찰에 붙잡힌다.

사회주의 운동을 하던 병화와 그의 일을 돕던 경애는 비밀 조직인 장훈 일파와 함께 검거된다. 덕기도 병화의 일에 얽혀 경찰 조사를 받지만 장훈이의 자살로 조사가 미궁에 빠지며 풀려난다. 금고를 훔쳐 달아나다가 붙잡혔던 상훈이도 결국 훈방 조치로 풀려난다. 덕기는 할아버지의 빈자리를 느끼면서 앞으로 조씨 가문을 어떻게 이끌어 나갈지 생각한다.

02 이 글을 효과적으로 감상하기 위한 태도로 적절하지 <u>않은</u> 것은?

① 일제 강점기를 배경으로 한 소설을 모두 모아 주제를 비교하며 읽어야겠어.
② 삼대에 걸쳐서 다양한 인물이 나오니까 인물 간의 관계도를 그리며 읽어야겠어.
③ 이 소설은 장편 소설이니까 줄거리를 제대로 알기 위해서는 작품 전체를 읽어야겠어.
④ 삼대인 조의관, 조상훈, 조덕기가 각각 중요하게 생각하는 가치관을 파악하며 읽어야겠어.
⑤ 이 소설은 삼대의 이야기를 다룬 가족사 소설이니까 삼대의 삶과 역사를 정리하며 읽어야겠어.

별별 포인트!
03 다음 설명과 관계 깊은 소재를 찾아 한 단어로 쓰시오.

- 문벌을 중시하는 조의관의 가치관을 드러냄.
- 조의관과 조상훈이 갈등하는 원인임.

별별 포인트

04 다음 중 '조의관'이 중요하게 생각하는 것이 아닌 것은?

① 치산 ② 서원 ③ 제사
④ 족보 ⑤ 도서관

별별 포인트

05 '조상훈'에 대한 평가로 적절하지 않은 것은?

① 사회 운동과 교육 사업에 뜻을 품은 지식인이야.
② 예배당에 가는 걸로 보아 기독교를 믿는 인물이야.
③ 아버지에게 반감은 있지만 공손한 태도를 잃지 않는 인물이야.
④ 제사에 참석하는 것으로 보아 조상과 가족간의 정을 중시하는 인물이야.
⑤ 겉으로는 도덕적으로 올바른 사람인 체하지만, 불륜을 저지른 위선적인 인물이야.

06 #3 에서 '조의관'이 밑줄 친 부분처럼 말한 이유로 가장 적절한 것은?

> "내 재산이라야 얼마 있는 게 아니다마는, 반은 덕기에게 물려줄 것이요, 그 나머지로는 내가 쓰고 싶은 데 쓰다 남으면 공평히 나누어 주고 갈 테다. 공증인을 세우든 변호사를 불러 대든 하여 뒤를 깡그러뜨려 놓을 것이니까 너는 인제는 남 된 셈만 쳐라. 내가 죽으면 네가 머리를 풀 테냐, 상복을 입을 테냐?"

① 상훈이가 경제적으로 무능하기 때문에
② 상훈이가 자신을 공경하지 않기 때문에
③ 덕기가 상훈이보다 학식이 뛰어나기 때문에
④ 덕기가 자신의 제사를 지내 줄 것이기 때문에
⑤ 상훈이를 위해서는 따로 남겨 놓은 유산이 있기 때문에

07 병신 구실 이 의미하는 내용으로 적절한 것은?

> 삼사천 원이란 돈이 족보 박는 데에 직접으로 들어간 것이 아니라, ○○ 조씨로 대를 이을 아들이 없는 집의 계통을 이어서 한집안에 속하려 한즉, 군식구가 늘면 양반의 진국이 묽어질까 보아 반대를 하는 축들이 많으니까 그 입들을 씻기 위하여 쓴 것이다. 하기 때문에 난봉 자식이 난봉 피운 돈 액수를 줄이듯이, 이 영감도 실상은 한 천 원 썼다고 하는 것이다. 중간의 협잡배는 이런 약점을 노리고 우려 쓰는 것이지만 이 영감으로서는 멀쩡한 돈 가지고 이런 병신 구실 해 보기는 처음이다.

① 자신의 돈으로 양반의 족보를 산 일
② 자신이 협잡배가 되어 남의 돈을 우려 쓴 일
③ 족보를 박는 데에만 직접으로 돈이 들어간 일
④ 옳지 못한 일인 줄 알면서도 돈을 써야만 한 일
⑤ 큰돈을 쓰고도 돈을 썼다고 생색을 못 내고 숨기는 일

08 이 글을 통해 짐작할 수 있는 당대 사회의 모습으로 적절하지 않은 것은?

① 상훈이가 하려는 일로 보아 근대화가 이루어지고 있었다.
② 족보를 사고파는 것으로 보아 봉건적 가치관이 남아 있었다.
③ 돈을 중시하는 것으로 보아 자본주의 사회로 변화하고 있었다.
④ 삼대가 나오는 것으로 보아 세대 간의 화합이 이루어지고 있었다.
⑤ 첩에 대한 이야기가 나오는 것으로 보아 첩을 들이는 관습이 남아 있었다.

8문제 중에

_____ 문제 맞혔어!

03
쉽게 씌어진 시

윤동주

시어 밤비, 어둠

일제 강점기라는 암울한 현실을 비가 내리는 밤처럼 어두운 이미지로 표현함.

대립

시어 등불, 아침

광복과 같은 희망적인 미래의 모습을 등불과 아침처럼 밝은 이미지로 표현함.

이런 상황에서 시를 쓰고 있다니 부끄럽군!

화자 '나'(시인 자신)

배경 일제 강점기, 일본

일제 강점기라는 시대 현실에 적극적으로 저항하지 못하고 안주하는 자기 자신을 반성함.

읽기 포인트 » 화자는 나라를 빼앗긴 처지에 일본에서 편안히 공부하며 시가 쉽게 써지는 현실을 부끄러워하고 있다. 화자가 이러한 내적인 갈등을 어떻게 극복해 나가는지 파악하며 읽어 보자.

창 밖에 밤비가 속살거려
　　　남이 알아듣지 못하게 작은 목소리로 말하여.
육첩방은 남의 나라,
다다미(일본식 돗자리) 여섯 장이 깔린 좁은 방.

시인이란 슬픈 천명인 줄 알면서도
　　　하늘의 명령.
한 줄 시를 적어 볼까.

땀내와 사랑내 포근히 품긴
보내 주신 학비 봉투를 받아

대학 노트를 끼고
늙은 교수의 강의 들으러 간다.

생각해 보면 어린 때 동무를
하나, 둘, 죄다 잃어버리고

나는 무얼 바라
나는 다만, 홀로 침전하는 것일까?
　　　기분이 가라앉는.

인생은 살기 어렵다는데
시가 이렇게 쉽게 씌어지는 것은
부끄러운 일이다.

육첩방은 남의 나라
창 밖에 ✿ 밤비가 속살거리는데,

✿ 등불을 밝혀 ✿ 어둠을 조금 내몰고,
시대처럼 올 ✿ 아침을 기다리는 최후의 나,

✿ 나는 나에게 작은 손을 내밀어
눈물과 위안으로 잡는 최초의 악수.
위로하여 마음을 편하게 함.

핵심 태그

비가 내리는 밤에 일본의 **1** # 에서 시를 쓰고 있는 '나'

학비를 받아 대학에 **2** # 를 들으러 다니는 '나'의 현실에 대한 회의와 갈등

살기 어려운 현실에서 **3** # 가 쉽게 쓰여 부끄러움

'나'와 '나'의 최초의 **4** # 를 통해 화해하고 부끄럽지 않게 살아가리라 다짐함

★ 별별 포인트 ★

< 대립적 이미지의 시어 >

밤비, 어둠
- 어둠의 이미지
- 일제 강점기라는 부정적 현실

⇕

등불, 아침
- 밝음의 이미지
- 부정적 현실을 극복하려는 의지

★ 별별 포인트 ★

< 두 자아의 대립과 화해 >

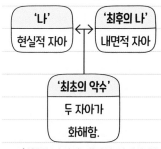

→ 현실적 자아와 내면적 자아가 갈등을 극복하고 화해함으로써 화자가 부끄럽지 않은 삶을 살아갈 것임을 보여 줌.

[01~08] 다음 시를 읽고 물음에 답하시오.

창 밖에 밤비가 속살거려
육첩방은 남의 나라,

시인이란 ⓐ슬픈 천명인 줄 알면서도
한 줄 시를 적어 볼까.

ⓑ땀내와 사랑내 포근히 품긴
보내 주신 학비 봉투를 받아

대학 노트를 끼고
ⓒ늙은 교수의 강의 들으러 간다.

생각해 보면 어린 때 동무를
하나, 둘, 죄다 잃어버리고

㉠나는 무얼 바라
나는 다만, 홀로 침전하는 것일까?

인생은 살기 어렵다는데
시가 이렇게 쉽게 씌어지는 것은 [A]
부끄러운 일이다.

육첩방은 남의 나라
창 밖에 밤비가 속살거리는데,

등불을 밝혀 어둠을 조금 내몰고,
ⓓ시대처럼 올 아침을 기다리는 ㉡최후의 나,

나는 나에게 작은 손을 내밀어
눈물과 위안으로 잡는 ⓔ최초의 악수.

01 이 시에 대한 설명으로 맞으면 ○표, 틀리면 ╳표를 하시오.

화자 | 화자는 시인 자신이다. |

시어 | '육첩방'은 우리나라에 있는 온돌방을 뜻한다. |

표현 | 1연의 내용을 8연에서 순서를 바꾸어 쓰고 있다. |

02 이 시의 화자에 대한 설명으로 적절하지 않은 것은?

① 일본에 머무르고 있다.
② 대학교에서 공부를 하고 있다.
③ 가족에게 경제적인 도움을 받고 있다.
④ 누군가가 등불을 켜 주기를 바라고 있다.
⑤ 비 내리는 밤에 자신의 삶을 되돌아보고 있다.

03 화자가 [A]와 같이 생각하는 이유로 적절한 것은?

① 가족을 잊고 살아가는 자신이 부끄러웠기 때문에
② 현재의 삶에 만족하지 못하고 과거를 생각하기 때문에
③ 어렵게 유학을 왔지만 학업에 전념하고 있지 않기 때문에
④ 경제적인 능력이 없어서 부모님의 도움을 받고 있기 때문에
⑤ 부정적 현실을 알면서도 지식인으로서 이에 대해 적극적으로 행동하고 있지 않기 때문에

04 이 시에 대한 설명으로 적절하지 않은 것은?

① 모두 10개의 연으로 구성되어 있다.
② 시행의 끝에 같은 단어가 반복되고 있다.
③ 대립적인 의미를 지닌 시어가 쓰이고 있다.
④ 구체적인 시간적, 공간적 배경이 제시되어 있다.
⑤ 화자가 느끼는 심정이 직접적으로 표현되어 있다.

별별 포인트! ☆ 05 이 시에 사용된 시어를 보기와 같이 정리할 때, 빈칸에 들어갈 시어를 모두 찾아 쓰시오.

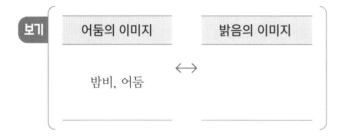

별별 포인트! ☆ 06 이 시에 나오는 '나'를 보기와 같이 나타낼 때, ㉠과 ㉡에 대한 이해로 가장 적절한 것은?

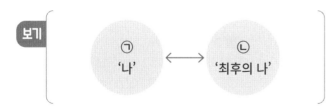

① ㉠은 과거의 '나'이고, ㉡은 미래의 '나'이다.
② ㉠은 현실적 자아이고, ㉡은 내면적 자아이다.
③ ㉠과 ㉡은 서로 반대되는 미래를 꿈꾸고 있다.
④ ㉡보다 ㉠이 미래를 좀 더 희망적으로 보고 있다.
⑤ ㉠의 '나'는 현실에 맞서고 있고, ㉡의 '나'는 현실에 순응하고 있다.

07 ⓐ~ⓔ에 대해 이해한 내용으로 적절하지 않은 것은?

① ⓐ: 암담한 현실에서도 시를 쓸 수밖에 없는 괴로움
② ⓑ : 가족의 노고와 사랑
③ ⓒ: 시대를 앞서가는 지식
④ ⓓ: 조국이 광복을 맞이할 것이라는 믿음과 희망
⑤ ⓔ: 부끄럽지 않은 삶을 살겠다는 의지

08 보기를 참고하여 이 시를 감상한 내용으로 적절하지 않은 것은?

보기
　이 시는 광복이 되기 직전인 1942년에 창작되었다. 당시는 일제가 민족 말살 정책을 펴는 등 우리나라에 대한 수탈과 억압이 극심해졌고 우리의 항일 무장 투쟁도 활발하게 이루어졌다. 한편 윤동주는 1941년 일본으로 건너가 유학 생활을 하였는데, 유학 도중 독립운동 혐의로 투옥되었다가 옥중에서 죽음을 맞았다.

① '대학 노트'는 시인의 일본 유학 생활을 반영한 것이겠군.
② '어린 때 동무들'은 항일 무장 투쟁을 벌이는 독립투사이겠군.
③ '침전'은 일제의 탄압이 심해지고 항일 운동이 일어나는 상황에서 시를 쓰고 있는 자신에 대한 회의와 갈등이겠군.
④ 시인이 독립 운동 혐의로 체포된 것은 '최초의 악수' 이후 적극적으로 행동한 결과이겠군.
⑤ 시인의 삶을 고려할 때, 화자가 기다리는 '아침'은 광복이었겠군.

23

8문제 중에
_____ 문제 맞혔어!

04

나룻배와 행인

한용운

당신을 안으면
어디든 건너가지요.

화자 '나'=나룻배

시어 '당신'=행인

표현 '나'와 '당신'의 관계를 비유적으로 표현
'나'를 '나룻배'에, '당신'을 '행인'에 빗대어
소중한 존재인 '당신'을 기다리는 '나'의 희생과
인내를 드러냄.

시어 바람, 눈비

'바람'과 '눈비'는 '나'가 겪는 고난과 시련을
뜻하며, '나'는 이러한 고난과 시련에도
'당신'을 기다리고 있음.

당신을 기다리며
조금씩 낡아 가고 있어요.

❀ 나는 나룻배

당신은 행인.
　　　길을 가는 사람.

❀ 당신은 흙발로 나를 짓밟습니다.
　　흙이 많이 묻어 흙투성이가 된 발.
❀ 나는 당신을 안고 물을 건너갑니다.

나는 당신을 안으면 깊으나 옅으나 급한 여울이나
　　　　　　강의 바닥이 얕거나 폭이 좁아 물살이 세게 흐르는 곳.
건너갑니다.

만일 당신이 아니 오시면 나는 바람을 쐬고 눈비를
맞으며 밤에서 낮까지 당신을 기다리고 있습니다.

❀ 당신은 물만 건너면 나는 돌아보지도 않고 가십
니다그려.

그러나 당신이 언제든지 오실 줄만은 알아요.

❀ 나는 당신을 기다리면서 날마다 날마다 낡아 갑
니다.

❀ 나는 나룻배

당신은 행인.

핵심 태그

'당신'이 **1** #

로 짓밟아도 '당신'을
안고 물을 건너가는 '나'

2 # 을 쐬고
눈비를 맞으면서도
'당신'을 기다리며 낡아
가는 '나'

★ 별별 포인트 ★

〈 '나'와 '당신'의 태도 〉

'나'(나룻배)=헌신, 희생
- '당신'을 안고 물을 건너감.
- '당신'이 언제든 돌아올 것이라 믿고 기다림.

⇕

'당신'(행인)=무심함
- 흙발로 '나'를 짓밟음.
- 물만 건너면 돌아보지도 않고 감.

★ 별별 포인트 ★

〈 수미상관법의 효과 〉

시의 처음과 끝에
같은 구절을 반복함.

⇓

- '나'와 '당신'의 관계를 강조함.
- 반복을 통해 구조적으로 안정감을 줌.
- 운율을 형성하고 시적 여운을 줌.

나는 나룻배
당신은 행인.

㉠당신은 흙발로 나를 짓밟습니다.
㉡나는 당신을 안고 물을 건너갑니다.
㉢나는 당신을 안으면 깊으나 옅으나 급한 여울이나
건너갑니다.

만일 당신이 아니 오시면 나는 바람을 쐬고 눈비를
맞으며 밤에서 낮까지 당신을 기다리고 있습니다.
㉣당신은 물만 건너면 나는 돌아보지도 않고 가십니
다그려.
그러나 당신이 언제든지 오실 줄만은 알아요.
㉤나는 당신을 기다리면서 날마다 날마다 낡아 갑니
다.

나는 나룻배
당신은 행인.

오엑스 확인 문제

01 이 시에 대한 설명으로 맞으면 ○표, 틀리면 ✕표를 하시오.

화자 화자는 '나룻배'로 표현된 '나'이다. ☐

시어 '흙발'은 '나'를 사랑하는 '당신'의 흔적이다. ☐

표현 비슷한 어구를 짝 지은 대구법이 사용되었다. ☐

02 이 시의 화자에 대한 설명으로 적절하지 않은 것은?

① 자신을 떠난 '당신'을 원망하고 있다.
② '당신'이 언젠가 다시 올 것이라고 믿고 있다.
③ '당신'을 위해 몸과 마음을 바쳐 희생하고 있다.
④ 높임말을 사용하여 '당신'을 공경하는 태도를 드러내고 있다.
⑤ 자신의 처지를 '행인'을 태우는 '나룻배'와 비슷하다고 생각하고 있다.

03 이 시를 낭송할 때의 목소리로 가장 적절한 것은?

① 강하고 우렁찬 목소리
② 단호하고 무서운 목소리
③ 우울하고 절망적인 목소리
④ 애틋하지만 차분한 목소리
⑤ 아이와 같이 밝고 귀여운 목소리

04 1연의 내용을 4연에서 반복함으로써 얻을 수 있는 효과로 적절하지 <u>않은</u> 것은?

① 운율감을 살린다.
② 구조상 안정감을 준다.
③ 여운을 주며 시를 마무리한다.
④ '나'와 '당신'의 관계를 강조해 준다.
⑤ 화자가 누구인지 모르게 숨겨 준다.

05 ㉠~㉤ 중, '나'와 '당신'의 태도를 나타내는 시구를 바르게 정리한 것은?

	'나'의 태도	'당신'의 태도
①	㉠, ㉡, ㉢	㉣, ㉤
②	㉠, ㉣, ㉤	㉡, ㉢
③	㉡, ㉢, ㉣	㉠, ㉤
④	㉡, ㉢, ㉤	㉠, ㉣
⑤	㉡, ㉣, ㉤	㉠, ㉢

06 '나'가 '당신'을 기다리며 겪는 고난과 시련을 비유한 시어로만 묶인 것은?

① 밤, 낮
② 물, 흙발
③ 바람, 눈비
④ 바람, 나룻배
⑤ 물, 급한 여울

07 보기 를 바탕으로 이 시를 해석할 때, 빈칸에 들어갈 '당신'의 의미로 가장 적절한 것은?

> 보기
>
> 이 시를 시인 한용운의 삶과 연관 지어 해석하면 '당신'의 의미는 다양하게 해석될 수 있다. 먼저 한용운을 평범한 인간이라고 보면 '당신'은 '나'가 애타게 기다리고 사랑하는 존재라고 할 수 있다. 또 한용운을 승려의 입장에서 보면 '당신'은 절대자 혹은 중생이 될 수 있다. 마지막으로 한용운을 일제 강점기에 활동했던 독립운동가로 보면 '당신'은 한용운이 애타게 기다리는 광복 혹은 [   ]으로 볼 수 있다.

① 시인
② 부처
③ 자연
④ 조국
⑤ 연인

08 이 시를 읽고 난 후의 감상으로 가장 적절한 것은?

① '나'가 이기적인 태도를 버린다면 '당신'은 곧 돌아올 거야.
② 돌아오지 않을 사람을 기다리는 것을 보니 '나'는 너무 어리석은 것 같아.
③ '당신'의 마음을 되돌리기 위해서는 '나'가 자신의 잘못을 먼저 인정해야 해.
④ '나'가 '당신'을 기다리는 모습에서 참된 사랑을 실천하는 것의 아름다움을 느꼈어.
⑤ '당신' 역시 '나'를 사랑하는 마음을 포기하면서 많이 힘들었을 테니 부담을 주면 안 될 것 같아.

8문제 중에

_____ 문제 맞혔어!

05

살아 있는 이중생 각하

오영진

재산을 공공사업에 쓰려는 자

인물 송달지

40세의 의사. 이중생의 사위로 이중생의 집에 얹혀삶. 이중생의 재산을 보건 시설에 쓰자는 김 의원의 의견에 동조함.

인물 김 의원

40세의 국회 특별 조사 위원. 이중생의 재산을 법대로 처리해야 한다며, 송달지에게 보건 시설에 쓰자고 제안함.

재산을 지키려는 자

인물 이중생

53세의 사업가. 일제 강점기에는 친일로, 광복 후에는 권력자와 손잡고 부자가 됨. 거짓 자살극이 소용없게 되자 결국 진짜로 자살함.

인물 최영후(최 변호사)

45세의 변호사. 이중생에게 자살한 것처럼 꾸미고 재산을 사위 송달지에게 넘겨주는 유서를 쓰라고 제안함.

배경 광복 직후, 서울

사건 '이중생'의 거짓 자살극

이중생이 친일과 불법으로 모은 재산을 지키기 위해 형 이중건, 부인 우 씨, 최 변호사 등과 짜고 자신이 죽은 것처럼 위장함.

> **읽기 포인트 »** 이중생의 거짓 장례식인 줄 모르고 찾아온 김 의원이 이중생의 재산을 법적으로 처리하겠다고 말하고 있다. 이에 대해 각 인물들이 어떤 태도를 보이는지 살펴보며 읽어 보자.

#1 김 의원 양심의 <u>가책</u>대루 행동허신 게죠. 그래, 송 선생의 희망이라구 헐까,
_{자기나 남의 잘못에 대하여 꾸짖어 책망함.}
의견이라구 헐까, 어떻습니까?

송달지 의견이요? / **최 변호사** 희망? (이중생 긴장한다.)

김 의원 (달지에게) 조용히 선생을 찾아 말씀드릴 일이지만, 고인의 <u>유지</u>두 그러
_{죽은 사람이 살아 있을 때에 가졌던 생각.}
시다니, 우리두 그 유지를 존중하는 의미루 송 선생의 의사를 충분히 참고하여
행정 당국과 사법 당국에서도 댁에 유리하도록 의견서를 제출할 <u>아량</u>이 있습
_{너그럽고 속이 깊은 마음씨.}
니다. 돈이라는 건 필요하게 쓰구 유익하게 써야 하는 것이 아닙니까?

최 변호사 아량? / **김 의원** (그냥 달지에게) ✖<u>보건 시설</u> 같은 것은 어떻습니까,
_{요양소는 물론 병원이나 진찰소 등을 이름.}
선생이 의사라구 허시니 말씀입니다만…….

최 변호사 보건 시설? / **김 의원** 네, 우리나라처럼 보건 시설이 <u>불충분한</u> 나라도
_{만족할 만큼 넉넉하지 않은.}
없지요. (이중생, 펄펄 뛴다.) 그야 그럴 것이, 지금꺼정은 저마다 <u>도회지</u>서만 개
_{사람이 많이 살고 상공업이 발달한 지역.}
업하려 했구 주사 한 대두 돈 있는 이만 맞게 생겼구, 돈 몇 <u>환</u> 있구 없구루 귀
_{옛날 돈의 단위.}
중한 생명이 왔다 갔다 하지 않았습니까? 무료루 치료해 주는 국립 병원이 있
지만, 아주 시설이 불충분하거든요.

송달지 (의외로 흥분해서) 그렇습니다. ✖내가 의사 공부를 시작한 것두 그런 의미
에서 한 것이죠. 의사란 상업이 아닙니다.

김 의원 잘 알겠습니다. 판결 결과가 이렇다 저렇다 가볍게 말할 수 없으나 송 선
생의 생각을 관계 당국에 보고해서 고인의 재산을랑 특별히 이 <u>방면</u>에 쓰시게
_{어떤 분야.}
하시죠? (이중생, 곤두박질한다.)

최 변호사 ✖고, 고인의 재산을 어데다 써요? 헤헤……. 아, 아니올시다. 고인의
생각은 그렇잖습니다. 좀 더 찬찬히 의논해 가지구설랑 결정허시지……. 헤헤!

김 의원 그야 물론 당국에서 <u>가부간</u> 집행할 일이지 여기서 결정지을 성질의 것이
_{옳거나 그르거나, 찬성하거나 반대하거나 어쨌든.}
아니죠. / **최 변호사** 아, 아니올시다. 그런 의미가 아니구 고인의 가족, 이를테
면 고인의 마누라……. 그러니까 바루 여기 앉은 상속인인 송 선생의 장모두
계시구, 그의 딸, 다시 말할 것 같으면 송 선생의 부인두 있구, 아들두 있구, 안
그렇습니까? 그 가족들의 생각두 알아봐야죠. 그렇게 됐지 아마, 송 선생?

송달지 네, 제 의견만으룬…….

최 변호사 암, 그렇구 말구. 가족의 의사두 고려해야지.

★ **별별 포인트** ★

**〈 '이중생의 유산'에 대한
인물들의 입장 〉**

김 의원, 송달지
보건 시설에 쓰자는 김 의원의 제안에 송달지가 동조함.

↓

(이중생의 유산)

↑

최 변호사, 이중생
이중생이 거짓으로 죽은 것처럼 꾸며서 지키려고 함.

#1 핵심 태그
송달지에게 이중생의 유산을
[#   ] 같은 것에 쓰면
어떻겠냐고 제안하는 김 의원

김 의원 이중생이 모든 권리와 의무를 포기하였으므로 재산을 상속할 수 없어요.

이중생 죽은 사람이 말을 하여 극적 긴장감을 고조시킴.

최 변호사 이중생의 말을 자기가 했다고 하여 웃음을 유발함.

#2 김 의원 잘 아실 분이 일부러 오해하시는 것 같구먼요. 사기, 배임, 공금 횡령, 탈세, 공문서 위조 등을 법적으로 청산하면 고인에게는 아무런 재산두 남
국가나 회사에 재산상의 손해를 주는 경우.
지 않는 것을 잘 아실 텐데…….
공금이나 남의 재물을 불법으로 가짐.

최 변호사 그렇겠지만 개인 재산이야 마음대로 빼앗을 수 없잖아요? 더욱이 이 양반에게 재산을 넘겨준 이상…….

☆ 김 의원 그렇기에 우리는 이중생 자신이 이미 자기의 죄를 스스로 깨닫고 국민으로서의 모든 권리와 의무를 포기하였으므로 고인의 소유였던 재산을 법적으로 처리하기 전에 우선 상속인인 송 선생의 의견을 참고하겠다는 게 아닙니까? 만일 가족 가운데 불만을 가진 분이 계시면 자기 죄과를 스스로 인정하는 고인의 유서일랑 없애 버리구 이중생을 다시 살려 내 가지구 상속자인 송달지 씨를 걸어 고소라두 하시죠.
죄가 될 만한 허물.

☆ 이중생, 옆방에서 "그럴 법이!" 하고는 제 손으로 입을 틀어막는다. 송과 최, 어쩔 줄을 모른다.

김 의원 ……. / 최 변호사 ☆ 아, 아니올시다. 제 목소리가 갈려서……. (헛기침을 하고) 그럴 법이 있습니까. 헤헤, 그럼 이중생이 다시 살아나야 상소라두 해 볼 여지가 있단 말씀이죠?
상급 법원에 다시 심사해 달라고 요구하는 일.

김 의원 다시 살아날 수도 없지만 기적적으로 부활한다 해두 유서를 자신이 뒤집을 수야 있겠소? 저지른 자기의 죄과는 어떻구? 사기, 배임, 횡령, 탈세…….

최 변호사 가, 가 가만.

김 의원 농담은 그만하시구, 하하……. 그럼 송 선생님의 의견이 그러시면, 진정서라구 할까 의견서라구 할까, 특위에 한 통 제출해 주십쇼. 참고하겠습니다.
'국회 특별 조사 위원회'의 준말
무료 병원 설립은 정부의 방침과도 맞으니까요. 그럼…….
앞으로 일을 치러 나갈 방향과 계획.

최 변호사 잠, 잠깐만……. 김 선생.

김 의원 매우 불만이신 모양이군요. 선생은 상속법의 권위이시니까, 법적으로 따지고 싶은 모양이시니 그럼 법적 장소에서 정식으로 뵙죠. 실례합니다. (최 변호사, 어안이 벙벙해 있다. 김 의원이 왼쪽으로 나가자 이중생이 뛰어나온다.)
일정한 분야에서 사회적으로 인정받고 영향력을 끼침.

#2 핵심 태그
유산은 법적으로 처리할 것이며 송달지에게 # □□□ 를 제출하라고 하는 김 의원

#3 이중생 달지!

송달지 …….

이중생 (두 팔을 휘두르고 두 발을 구르며) 달지! 자네는 누구의 허락을 받았길래 독단적 행동을 헌단 말이야, 응? 누가 자네더러 무료 병원 세워 달랬어. 응? 대
남과 상의하지 않고 혼자서 결정하는.

답 좀 해 봐. 나는 그래 무료 병원 세울 줄 몰라서 이 지경인 줄 아나? 내가 뭐 랬어? 유산이니 재산 문제는 일체 **함구불언**하라구……. 자네 그래, 무슨 원한
　　　　　　　　　　　　<small>입을 다물고 말을 하지 아니하라구.</small>
이 있어서 우리 집안을 망치는 게야. 응? 천치면 천치처럼 **말참견**이나 말 것이
　　　　　　　　　　　　　　　　　　<small>다른 사람이 말하는 데 끼어드는 짓.</small>
지. 뭐이 어쩌구 어째? "내 의견은 그렇습니다만……?" 의견이 무슨 당찮은 의 견이란 말이야? 내 재산, 내 돈 가지구 왜 **염치없이** 제 의견을 말해……. 응?
　　　　　　　　　　　　　　　<small>부끄러움을 아는 마음이 없이.</small>
의견이 또 도대체 자네 같은 **위인**에게 무슨 의견이야, **일껏** 의견이랍시구 내세
　　　　　　　　　<small>됨됨이로 본 그 사람.</small>　　　　　<small>모처럼 애써서.</small>
운 게 장인 재산 물에 타 버리는 종합 병원? 예끼, 고약한 놈 같으니라구, 어디 서 배운 의견이야? ✦자넨 살아 있는, 아니 죽어 있는! 아아, 아니 살아 있는 이중생……, 죽어 있는 이중생의 재산 관리인 이외의 아무것도 아닌 걸 왜 몰 라, 응? 이 천치! 어서 없어져! (송달지, 묵묵히 일어난다.) 어딜 가! 앉아 있지 못 허구. 그래 어떡헐 셈인가, 응? 나는 그래 어떡허면 좋단 말이야. 이 집은, 토지 는, 현금은 어떡허란 말이야. 그래, 자네 의견대루 배라먹을 무료 병원에 내놓
　　　　　　　　　　　　　　　　　　<small>일이 뜻대로 되지 않을 때 하는 욕.</small>
으란 말인가? 어디 의견 좀 말해 보겠나, 응? 이 재산이, 내 재산이 어떤 건 줄 이나 알구 그래? 이 사람, 왜 말이 없어? 일 처리 그렇게 잘하니 끝을 맺어야지.

최 변호사　영감, 그만두십쇼. 또 좋은 방법이 서겠죠. 철이 없어서 그렇게 된걸.

이중생　(최 변호사에게) 뭐이 어쩌구 어째? 그래 자넨 철이 있어서 일껏 맹글어 논 게 이 모양인가?

최 변호사　고정하십쇼. 저보구꺼정 왜 야단이슈?

이중생　자네가 뭘 잘했길래 왜 나더러 죽으라고 해, 응? 여보, 최 변호사! 내가 뭘 잘못했길래 나흘 닷새를 두고 이 고생, 이 망신을 시키는 거냐아! 유서는 왜 쓰 라구 했어! 내 재산을 **몰수**하는 증거가 되라고? **고문 변호사**라구 믿어 온 보람
　　　　　　　　　　<small>불법으로 얻은 물건을 국가가 빼앗음.</small>　<small>전문적인 지식으로 조언을 하는 직책.</small>
이 이래야만 옳단 말이야? 이 일을 다 망쳐 버린 게 누구 탓이야, 응? 유서는, 저 사람에게 **책잡힐** 유서는 왜 쓰랬어! 왜 내 입으로 변명 한마디 못하게 죽여
　　　　　　<small>잘못된 일로 나무람을 들을.</small>
낳냐 말야, 나를 왜 죽여! 이 이중생을…….

최 변호사　영감, 왜 노망이슈? 누가 당신 머슴인 줄 아슈? 누구에게 욕설이구 누 구에게 **패담**이야!
　　　　　<small>사리에 어긋나는 말.</small>

이중생　예끼, **적반하장**두 유만부동이지. 배라먹을 놈 같으니라구! 은혜도 인정두
　　　　<small>잘못한 사람이 아무 잘못도 없는 사람을 나무라는 것이 정도에 넘친다는 말.</small>
도리두 몰라 보구, 살구도 죽은 **송장**을 맨들어 말 한마디 못 하구 송두리째 재
　　　　　　　　　　　　　　<small>죽은 사람의 몸.</small>
산을 빼앗기게 해야 옳단 말인가!

최 변호사　헛헛……. 영감, 말씀 좀 삼가시죠. 영감 가정일은 가정일이구, 내게 내 줄 것이나 깨끗이 셈을 하십쇼. 영감 사위께 내 수수료를 청구하리까?

작품 줄거리 요약하기

앞부분 줄거리

이중생은 일제 강점기에 친일을 하여 부자가 된다. 그는 막내아들 하식이를 일본군으로 보낼 정도로 일본의 식민지 지배 정책에 적극적으로 협력하는 인물이다. 광복 이후에도 처벌 받지 않고 오히려 무허가 산림 회사를 차리고 권력에 아부하여 더 많은 돈을 번다. 그러다가 사기, 배임, 횡령 혐의가 들통나 경찰서에 잡혀간 그는 전 재산을 잃을 위기에 처한다.

가석방되어 나온 이중생은 사위 송달지에게 재산을 물려준다는 유서를 남기고 자살한 것처럼 꾸미자는 최 변호사의 말을 받아들인다. 이중생은 의사인 송달지의 도장을 훔쳐 사망 진단서를 위조하고 거짓 장례식을 연다.

제시 장면 줄거리

이중생의 죽음을 조사하러 온 김 의원은 송달지에게 이중생의 재산을 ❶ [ ] [ ] 시설을 세우는 데 쓰자고 제안한다. 송달지가 이에 긍정적인 뜻을 비치자 김 의원은 ❷ [ ] [ ] 에 의견서를 제출해 달라고 한다. 김 의원이 돌아가고 이중생은 송달지와 최 변호사에게 욕을 하며 분노한다.

뒷부분 줄거리

아버지 때문에 일본군으로 끌려갔던 하식이가 10년 만에 집으로 돌아와 아버지의 행동을 비판한다. 게다가 거짓 장례식인지 모르고 일을 도와주러 왔던 옆집 박 씨가 이중생을 보고 귀신으로 오해하자, 이중생은 결국 진짜로 자살하게 된다.

오엑스 확인 문제

01 이 글에 대한 설명으로 맞으면 ○표, 틀리면 ✕표를 하시오.

인물 송달지는 이중생의 사위이다. [ ]

사건 이중생은 최 변호사와 짜고 자살한 것처럼 꾸민다. [ ]

배경 김 의원과 최 변호사는 이중생의 장례식장에서 대화하고 있다. [ ]

소재 이중생은 자신의 재산을 아들에게 물려주려고 한다. [ ]

02 이 글을 읽고 알 수 있는 내용이 <u>아닌</u> 것은?

① 송달지의 직업은 의사이다.
② 이중생은 거짓으로 자살극을 벌였다.
③ 이중생의 재산은 법적으로 처리될 대상이다.
④ 최 변호사는 이중생의 재산을 빼앗으려 하고 있다.
⑤ 이중생은 자신의 재산을 지키기 위해 사위 송달지를 상속자로 삼았다.

특별 포인트!

03 이 글에 나온 인물을 다음과 같이 정리할 때, 빈칸에 들어가기에 알맞은 인물을 모두 쓰시오.

이중생의 재산을 보건 시설을 세우는 데 사용하자.

(1) 반대하는 입장	(2) 찬성하는 입장

04 다음 장면이 주는 효과로 가장 적절한 것은?

> 이중생, 옆방에서 "그럴 법이!" 하고는 제 손으로 입을 틀어막는다. 송과 최, 어쩔 줄을 모른다.
>
> **김 의원** …….
> **최 변호사** 아, 아니올시다. 제 목소리가 갈려서…….

① 주인공에 대한 동정심을 유발한다.
② 인물 간의 갈등을 일시적으로 해소한다.
③ 지금까지의 사건을 요약적으로 전달한다.
④ 인물의 우스꽝스러운 행동이 웃음을 준다.
⑤ 최고조에 달했던 극적 긴장감을 점차 누그러뜨린다.

05 **#3**에 나타난 '이중생'의 심리로 적절한 것은?

① 사위에 대한 안타까움
② 새로운 삶에 대한 설렘
③ 부인과 자식들에 대한 걱정
④ 재산을 잃는 것에 대한 분노
⑤ 죽은 척한 것에 대한 부끄러움

06 이 글의 제목인 '살아 있는 이중생 각하'의 의미로 적절하지 <u>않은</u> 것은?

① 권력자에게 아부하는 인물의 모습을 강조한다.
② 결국 두 번의 죽음을 맞는 인물의 상황을 뜻한다.
③ 부정한 방법으로 재산을 모은 인물의 이중성을 풍자한다.
④ 인물과 어울리지 않는 '각하'라는 호칭을 붙여 인물을 조롱한다.
⑤ 실제로는 살아 있지만 진정으로 살아 있다고 말할 수 없는 인물의 이상한 삶을 나타낸다.

07 '이중생'의 유산 상속에 대한 '김 의원'과 '최 변호사'의 논리로 적절하지 <u>않은</u> 것은?

김 의원	최 변호사
① 이중생은 국민으로서 모든 권리와 의무를 포기하였다.	② 이중생의 재산을 쓰는 일에는 가족들의 동의를 구해야 한다.
↓	↓
이중생은 재산을 상속할 권리를 상실하였다.	③ 이중생의 개인 재산을 나라에서 마음대로 빼앗을 수 없다.
↓	↓
④ 이중생의 재산은 법적으로 처리할 수 있다.	⑤ 이중생은 살아 있으므로 유서를 바꾸면 된다.

08 등장인물의 관계를 **보기**와 같이 정리할 때, ⓐ~ⓔ에 대한 설명으로 적절하지 <u>않은</u> 것은?

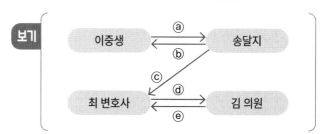

① ⓐ: 상대방을 자신의 목적을 이루기 위한 수단으로 이용하고 있다.
② ⓑ: 상대방의 의도와는 다른 행동을 하여 갈등을 일으키고 있다.
③ ⓒ: 상대방의 강요에 반발하며 상대방과 대립하고 있다.
④ ⓓ: 상대방의 눈치를 살피면서 자신의 목적을 이루려 하고 있다.
⑤ ⓔ: 상대방의 주장을 반박하며 자신의 입장을 강하게 밝히고 있다.

8문제 중에 ____문제 맞혔어!

어휘로
마무리

기억해 보자!

01 사랑손님과 어머니   02 삼대   03 쉽게 씌어진 시
04 나룻배와 행인   05 살아 있는 이중생 각하

01 다음 밑줄 친 어휘와 바꾸어 쓰기에 알맞은 어휘를 찾아 연결하시오.

(1) 나는 어머니에게 어서 풍금을 쳐 달라고 재 •
촉하였다.

• ㉠ 빼앗았다

(2) 상훈이는 아무리 아버지가 홧김에 한 말이 •
라도 너무 야속하였다.

• ㉡ 졸랐다

(3) 국회 특별 위원회는 이중생이 불법으로 모 •
은 재산을 모두 몰수하였다.

• ㉢ 언짢았다

02 다음 밑줄 친 어휘와 바꾸어 쓸 수 있는 것은?

> 우리나라처럼 보건 시설이 불충분한 나라도 없지요.

① 탁월한   ② 우수한   ③ 뛰어난
④ 대단한   ⑤ 모자란

03 다음 밑줄 친 어휘와 바꾸어 쓰기에 적절하지 않은 것은?

> "아니, 아니, 안 돼. 난 지금 분주해서."
> 하면서 나를 잡아끌었습니다. 그러나 정말로는 무슨 그리 분주하지도 않은 모양이었어요. 그러기에 나더러 가란 말도 않고, 그냥 나를 붙들고 앉아서 머리도 쓰다듬어 주고 뺨에 입도 맞추고 하면서,
> "요 저고리 누가 해 주지? …… 밤에 엄마하고 한자리에서 자니?"
> 하는 등 쓸데없는 말을 자꾸만 물었지요!

㉠ 바쁘지도   ㉡ 급하지도   ㉢ 한가하지도

04 다음 문장을 읽고, 맞춤법에 맞는 어휘를 고르시오.

한줄 Hint

헷갈리는 어휘는 여러 번 소리 내어 읽으면서 어떻게 소리를 내는지 확인한다.

(1) 어머니는 옥희에게 ⎰ 으레 / 으례 ⎱ 삶은 달걀을 한 알씩 주고 그랬다.

(2) 나는 바람을 ⎰ 쐬고 / 쐐고 ⎱ 눈비를 맞으며 당신을 기다리고 있습니다.

05 빈칸에 들어갈 알맞은 어휘를 다음에서 골라 쓰시오.

한줄 Hint

(1)은 글을 세는 단위, (2)는 둥근 물체를 세는 단위, (3)은 책을 세는 단위가 들어가야 한다.

알	질	줄

(1) 시인이란 슬픈 천명인 줄 알면서도 한 [   ] 시를 적어 볼까.

(2) 상에 놓인 삶은 달걀을 한 [   ] 집어 주면서 나더러 먹으라고 합니다.

(3) 대동보소만 하더라도 족보 한 [   ]에 오십 원씩으로 만들었다고 하였다.

06 다음은 어떤 행동을 하거나 태도를 보이는 사람을 가리키는 어휘이다. 초성을 참고하여 알맞은 어휘를 쓰시오.

한줄 Hint

(1)의 첫 글자는 '철'이고, (2)의 첫 글자는 '협'이다.

(1)
사리를 분별할 만한 지각이 없는 어린아이. 철없어 보이는 어리석은 사람.
ㅊ ㅂ ㅈ

(2)
옳지 않은 방법으로 남을 속이는 짓을 일삼는 무리.
ㅎ ㅈ ㅂ

35

💬 속담

07 다음 빈칸에 들어갈 상훈이의 생각을, 속담을 넣어 표현한 것으로 가장
적절한 것은?

한줌 Hint ⟋★

속담 뒤에 나오는 창훈이에 대한
평가가 어떠한지 살펴본다.

> "아니에요, 그런 말씀이 아니에요.아저씨께서 잘못 들으셨나 봅니다."
> 창훈이는 속으로는 시원하다고 생각하면서도 인사치례로 한마디 하였다.
> "잘못 듣다니? 내가 소리를 듣지 못하는 병이라도 있단 말인가?"
> "그만해 두세요. 상훈 군도 달리 그렇겠습니까?
> 돈이 귀한 통에 여차하면 돈 쓸 일이 생기니까
> 그것을 걱정해서 그러는 것이지요."
> 창훈이는 이렇게도 변명해 주었다. 그러나 상훈
> 이로서는 ▭▭▭▭▭▭▭▭▭▭▭▭▭

㉠ 뛰는 놈 위에 나는 놈 있다고, 창훈이가 자신보다 나은 것 같았다.
㉡ 때리는 시어머니보다 말리는 시누이가 더 밉다더니, 창훈이가 더 미웠다.
㉢ 사람 나고 돈 났지 돈 나고 사람 났나, 창훈이는 돈밖에 모른단 생각이 들었다.

漢字 한자 성어

08 다음 시에서 '나'의 상황을 나타낼 수 있는 한자 성어로 적절한 것은?

한줌 Hint ⟋★

'나'는 당신이 언제든 돌아올 것이
라고 믿고 기다리고 있는 상황이다.

> 만일 당신이 아니 오시면 나는 바람을 쐬
> 고 눈비를 맞으며 밤에서 낮까지 당신을 기
> 다리고 있습니다.
> 당신은 물만 건너면 나는 돌아보지도 않
> 고 가십니다그려.
> 그러나 당신이 언제든지 오실 줄만은 알
> 아요.
> 나는 당신을 기다리면서 날마다 날마다
> 낡아 갑니다.

㉠ 학수고대(鶴首苦待)
㉡ 고립무원(孤立無援)
㉢ 혈혈단신(孑孑單身)

별별

사건

01 **미스터 방**_ 채만식

02 **운수 좋은 날**_ 현진건

03 **봄·봄**_ 김유정

04 **유리창 I**_ 정지용

05 **고향**_ 백석

별별 사건 어휘로 마무리

01

미스터 방

채만식

독립이
밥 먹여 주냐?

방삼복 =

미국이 최고예!

헬로.

같은
고향 사람 →

'미스터 방'으로
만든 인물

인물 백 주사

전형적인 친일파. 친일로 모았던
재산을 광복 후 모두 빼앗기자,
미스터 방에게 복수를 부탁함.

인물 미스터 방(방삼복)

광복 전에는 여러 나라를 떠돌고 신기료장수를
하며 근근히 먹고삶. 광복 후에 S 소위의
통역을 맡아 부와 권세를 누리게 됨.

인물 S 소위

방삼복이 의도적으로 접근한
미군 장교. 방삼복을 출세 길로
들어서게 함.

배경 광복 전후, 서울

사건 '미스터 방'이 뱉은 양칫물을 'S 소위'가 맞음.

미스터 방이 뱉은 양칫물을 얼굴에 맞은 S 소위가
화가 나서 미스터 방의 턱을 때림.

읽기 포인트 》 백 주사는 한때 방삼복이었던 미스터 방의 출세를 신기해하면서도 미스터 방에게 아첨하고 있다. 이 두 인물을 통해 작가가 비판하고자 하는 내용이 무엇인지 생각하며 읽어 보자.

#1 '흥, 개구리가 올챙이 적을 못 생각한다더니, 발칙한 놈, 고얀 놈.'

백 주사는 생각하자니 속으로 이렇게 분개스럽지 않을 수가 없었다.

그러나 일변으로는, 그러던 코삐뚤이 삼복이가 그야말로 선영이 명당엘 들었단
_{어떤 일의 한 측면.}　_{조상의 무덤. 또는 그 근처의 땅.}
말인지, 무슨 조화를 지녔단 말인지, 불과 몇 달 사이에 이렇게 훌륭히 되고, 부자

가 되고, 미스터 방인지 구리다 방인지가 되고 하여 가지고는, 갖은 호강 다 하며

천하에 무서울 것이 없고, 기광이 나서 막 이러니, 한편 생각하면 신기하기도 하고
_{극성스레 마구 날뛰는 행동이나 기세.}
부럽기도 하고 또한 안타깝기도 하였다. / '사람의 운수란 참 모를 일이야.'

백 주사는 속으로 절절히 이렇게 탄복도 아니치 못하였다.

코삐뚤이 삼복이의 이 눈부신 발신은, 그러나 백 주사가 희한히 여기는 것처럼
_{천하거나 가난한 처지를 벗어나 앞길이 훤히 트임.}
무슨 명당 바람이 났다거나 조화를 지녔다거나 그런 신기한 곡절이 있는 바가 아

니요, 지극히 간단하고도 수월한 것이었다. 다만 몸에 지닌 재주 가운데 총기가 좀
_{어렵고 복잡한 사정.}
좋아서 일찍이 영어 마디나 익힌 것을 잊어버리지 아니하였다는, 일종의 특수 조

건이 없던 바는 아니지만.

#2 1945년 8월 15일, 역사적인 날. / 이날도 신기료장수 방삼복은 종로의 공원
_{헌 신을 꿰매어 고치는 일을 직업으로 하는 사람.}
건너편 응달에 앉아서 구두 징을 박으면서 해방의 날을 맞이하였다. 그러나 삼복

은 감격할 줄도 기쁜 줄도 모르겠었다. 지나가는 행인이 서로 모르던 사람끼리면

서 덥석 서로 껴안고 기뻐하고 눈물을 흘리고 하는 것이 삼복은 속을 모르겠고 차

라리 쑥스러 보일 따름이었다. 몰려 닫는 군중이 오히려 성가시고, 만세 소리가 귀
_{빨리 뛰어가는.}
가 아파 이맛살이 찌푸려질 지경이었다. / 몰려다니고 만세를 부르고 하기에 미쳐

날뛰느라고 정신이 없어, 손님이 없어, 손님이 부쩍 줄었다.

☆ "우라질! 독립이 배부른가?" / 이렇게 그는 두리번거리면서 반감이 솟았다.

이삼 일 지나면서부터야 삼복에게도 삼복에게다운 해방의 혜택이 나누어졌다.

십 전이나 십오 전에 박아 주던 징을, 오십 전을 받아도 눈을 부라리는 순사를 볼

수가 없었다. 순사가 없어졌다면야 활개를 쳐 가면서 무슨 짓을 하여도 상관이 없

고 무서울 것이 없던 것이었다.

☆ "옳아, 그렇다면 독립도 할 만한 건가 보다." / 삼복은 징 열 개를 박아 주고

오 원을 받아 넣으면서 이렇게 속으로 중얼거리기까지 하였다. 〈중략〉

#1 핵심 태그

방삼복이 출세하여

'# ＿＿＿'이 된 것을

신기하게 여기는 백 주사

★ 별별 포인트 ★

< 독립을 대하는 '방삼복'의 태도 >

독립

손님이 줄어　　순사가 없어져
못마땅해함.　　좋아함.

⇓

● 역사의식이 없음.
● 자신의 이익에만 관심을 보이는
　이기적인 면모를 지님.

#2 핵심 태그

자신에게 이익이 되는지에

따라 # ＿＿＿ 에 대한

생각이 바뀌는 방삼복

#3 일변 고을에서는 백 주사가 자식이 그런 짓을 해서 산 토지를 가지고 동네 사람한테 거만히 굴고, 소작인들한테 팔 할 가까운 도지를 받고, 고리대금을 하고
남의 논밭을 빌린 대가로 해마다 내는 벼.
하였대서, 백선봉이 도망해 와 눕는 그날 밤, 그의 본집인 백 주사의 집을 습격하였다. / 집과 세간 죄다 부수고, 백선봉이 보낸 통제 배급 물자 숱한 것 죄다 빼앗기고, 가족들은 죽을 매를 맞고, 백선봉은 처가로, 백 주사는 서울로 각기 피신하여 목숨만 우선 보전하였다.

백 주사는 비싼 여관밥을 사 먹으면서, 울적히 거리를 오락가락, 어떻게 하면 이 분풀이를 할까, 어떻게 하면 빼앗긴 돈과 물건을 도로 다 찾을까 하고 궁리를 하던 것이나, 아무런 묘책도 없었다.

그러자 오늘은 우연히 이 미스터 방을 만났다. 종로를 지향 없이 거니는데, 지나가던 자동차가 스르르 멈추면서, 서양 사람과 같이 탔던 신사 양반 하나가 내려서더니, 어쩌다 눈이 마주치자

"아, 백 주사 아니신가요?"

하고 반기는 것이었었다.

자세히 보니, 무어 길바닥에서 신기료장수를 한다던 코삐뚤이 삼복이가 분명하였다.

"자네가, 저, 저, 방, 방······." / "네, 삼복입니다."

"아, 건데, 자네가······." / "허, 살 때가 됐답니다."

그러고는 내 집으루 갑시다 하고 잡아끄는 대로 끌리어 온 것이었다.

☆ 의표하며, 집하며, 식모에 침모에 계집 하인까지 부리면서 사는 것이며, 신수
차린 모습.　　　　　남의 집에 고용되어 바느질을 하는 여자.
가 훤히 트여 가지고 말도 제법 의젓하여진 것 같은 것이며, 진소위 개천에서 용이
정말 그야말로.
났다고 할 것인지.

옛날의 부귀영화가 꿈이 되고, 하루아침에 몰락하여 가뜩이나 초상집 개처럼 초라한 자기가 또 한 번 어깨가 옴츠러듦을 느끼지 아니치 못하였다. 그런데다 이 녀석이, 언제 적 저라고 무엄스럽게 굴어 심히 불쾌하였고, 그래서 엔간히 자리를
삼가거나 어려워하지 않고 예절 바르지 못하게.
털고 일어설 생각이 몇 번이나 나지 아니한 것도 아니었다. 그러나 참았다.

☆ 보아 하니 큰 세도를 부리는 것이 분명하였다. 잘만 하면 그 힘을 빌려 분풀이와 빼앗긴 재물을 도로 찾을 희망이 있을 듯싶었다. 분풀이를 하고, 더구나 재물을 도로 찾고 하는 것이라면야, 코삐뚤이 삼복이는 말고, 그보다 더한 놈한테라도 머리 숙이는 것쯤 상관할 바 아니었다.

"그러니, 여보게 미씨다 방······."

40

있는 말 없는 말 보태 가며, 한바탕 경과 설명을 한 후에 백 주사는 끝을 맺기를,

"어쨌든지 그놈들을 말이네. 그놈들을 한 놈 냉기지 말구섬 죄다 붙잡아다가 말이네. 괴수 놈들일랑 목을 썰어 죽이구, 다른 놈들일랑 뼉다구가 부러지두룩 두

못된 짓을 하는 무리의 우두머리.

들겨 주구. 꿇어앉히구 항복받구. 그리구 빼앗긴 것 일일이 도루 다 찾구. 집허구 세간 쳐부순 것 말끔 다 물리구……. 그렇게만 해 준다면, 내, 내, 재산 절반 노나 주문세, 절반. 응, 여보게 미씨다 방."

"염려 마슈." / 미스터 방은 선뜻 쾌한 대답이었다.

"진정인가?"

"머, 지끔 당장이래두, 내 입 한 번만 떨어진다 치면, 기관총 둘러멘 엠피가 백

군사 경찰 역할을 하는 군인.

명이구 천 명이구 들끓어 내려가서, 들이 쑥밭을 만들어 놉니다, 쑥밭을."

"고마우이!"

백 주사는 복수하여지는 광경을 선히 연상하면서, 미스터 방의 손목을 덥썩 잡는다.

"백골난망이겠네." / "놈들을 깡그리 죽여 놀 테니, 보슈."

남에게 큰 은덕을 입었을 때 고마움의 뜻으로 이르는 말.

"자네라면야 어련하겠나."

"흰말이 아니라 참 이승만 박사두 내 말 한마디면, 고만 다 제바리유."

#3 핵심 태그

미스터 방에게 자신의 재산을 되찾아 달라고 비굴하게 부탁하는 #

★ 별별 포인트 ★

< '결말'에 나타난 반전 >

미스터 방이 뱉은 양칫물이 S 소위의 얼굴에 떨어짐.

↓

S 소위가 미스터 방에게 욕을 하며 그의 턱을 침.

→ 우연에 의해 상황의 반전이 일어나는 장면으로, 미스터 방이 권세와 부를 모두 잃으리라고 짐작할 수 있음.

#4 미스터 방은 그러고는 냉수 그릇을 집어 한 모금 물고 꿀쩍꿀쩍 양치를 한다. 웬 버릇인지, 하여간 그는 미스터 방이 된 뒤로, 술을 먹으면서 양치하는 버릇이 생겼다. / 양치한 물을 처치하려고 휘휘 둘러보다, 일어서서 노대로 성큼성큼 나

2층 이상의 양옥에서 밖으로 돌출된 난간.

간다. 노대는 현관 정통 위였다.

미스터 방이 그 걸쭉한 양칫물을 노대 아래로 아낌없이 좍 뱉는 바로 그 순간이었다. 그 순간이 공교롭게도, 마침 그를 찾으러 온 S 소위가 현관으로 일단 들어서려다 말고(미스터 방이 노대로 나오는 기척이 들렸기 때문에) 뒤로 서너 걸음 도로 물러나,

"헬로." / 부르면서 웃는 얼굴을 쳐드는 순간과 그만 일치가 되었다.

"에구머니!" / ✦ 놀라 질겁을 하였으나 이미 뱉어진 양칫물은 퀴퀴한 냄새와 더불어 백절폭포로 내려 쏟아져, 웃으면서 쳐드는 S 소위의 얼굴 정통에 가 좌르르.

"유 데블!" / 이 기겁할 자식이라고 S 소위는 주먹질을 하면서 고함을 질렀고. 그 주먹이 쳐든 채 그대로 있다가, 일변 허둥지둥 버선발로 뛰쳐나와 손바닥을 싹싹 비비는 미스터 방의 턱을

✦ "상놈의 자식!" / 하면서 철컥, 어퍼컷으로 한 대 갈겼더라고.

#4 핵심 태그

미스터 방이 뱉은

을 맞고 화가 나 미스터 방의 턱을 때린 S 소위

작품 줄거리 요약하기

앞부분 줄거리

[현재] 방삼복은 고향 사람인 백 주사를 만나 술을 마시며 자신의 달라진 위상을 과시한다. 광복 전에 백 주사는 친일파로 권력과 부를 쌓았고, 방삼복은 남의 집 머슴살이를 하다가 십여 년을 일본, 중국 상해로 떠돌고 돌아와 신기료장수를 하던 처지였다.

제시 장면 줄거리

[현재] 백 주사는 광복 전만 해도 미천한 신분이었던 방삼복이 '1☐☐☐☐'으로 출세하여 자신에게 버릇없게 구는 것을 못마땅해한다.

[과거] 광복이 되어 손님이 줄자 독립을 욕하던 방삼복은, 순사가 없어져 징 박아 주는 값을 비싸게 받을 수 있게 되자 독립을 좋게 생각한다.

중략 부분 줄거리

[과거] 방삼복은 외국을 떠돌며 익힌 서툰 영어로 미군 장교인 S 소위에게 접근하여 그의 통역이 된다. 그리하여 '미스터 방'이 된 그는 자기에게 청탁을 하러 오는 이들에게 뇌물을 받아 권력과 부를 누린다.

제시 장면 줄거리

[현재] 광복 후 군중의 습격을 받아 재산을 잃고 서울로 도망해 복수할 날만 기다리던 백 주사는, 우연히 만난 미스터 방의 집으로 가게 된다.

백 주사는 세도가 당당해 보이는 미스터 방에게 자신의 복수를 해 달라고 부탁하고, 미스터 방은 흔쾌히 응한다. 술을 마시면 2☐☐를 하는 버릇이 있는 미스터 방이 양칫물을 뱉는 순간, 공교롭게도 S 소위가 양칫물을 맞는다. S 소위는 미스터 방을 욕하며 그의 턱을 때린다.

오엑스 확인 문제

01 이 글에 대한 설명으로 맞으면 ○표, 틀리면 ✕표를 하시오.

인물 방삼복과 미스터 방은 같은 인물이다. ☐

사건 S 소위는 미스터 방이 뱉은 술을 얼굴에 맞는다. ☐

배경 이 글의 공간적 배경은 서울이다. ☐

소재 미스터 방은 술을 마시면 양치를 하는 버릇이 있다. ☐

별별 포인트
02 이 글의 등장인물에 대한 평가로 적절한 것은?

① S 소위는 너그러운 사람이야. 방삼복이 무슨 실수를 해도 용서해 주잖아.
② 백 주사는 포기가 빠른 사람이야. 재산을 빼앗기니까 고향을 떠나 살려고 하잖아.
③ 방삼복은 마음이 따뜻한 사람이야. 위기에 처한 백 주사를 도와주려고 하고 있잖아.
④ 방삼복은 역사의식이 없는 사람이야. 독립이 되어도 자신의 이익만 생각하고 있잖아.
⑤ 백 주사는 상황 판단이 빠른 사람이야. 자신이 친일파였던 과거를 반성하고 후회하고 있잖아.

03 #1~#4 중에서 밑줄 친 부분에 해당하는 장면의 번호를 쓰시오.

역순행적 구성은 시간의 흐름을 바꾸어 이야기를 전개하는 방식이다. 이 글에서도 미스터 방과 백 주사가 만나 술을 마시는 장면 중간에 미스터 방이 방삼복이던 시절의 일을 삽입하여 시간의 흐름을 바꾸어 이야기를 전개하였다.

04 이 글을 통해 작가가 전하고자 한 것을 보기에서 찾아 바르게 묶은 것은?

> 보기
> ㄱ. 광복 직후의 혼란스러운 사회상을 풍자함.
> ㄴ. 명분과 체면을 중시하는 인물들을 고발함.
> ㄷ. 기회주의자나 아부하는 인물들이 출세하는 세태를 비판함.
> ㄹ. 어려운 환경을 극복하고 자수성가할 수 있는 사회 분위기를 옹호함.

① ㄱ, ㄴ ② ㄱ, ㄷ ③ ㄴ, ㄷ
④ ㄴ, ㄹ ⑤ ㄷ, ㄹ

05 보기는 이 소설의 일부이다. 보기를 참고하여 이 글을 이해할 때, 적절하지 않은 것은?

> 보기
> 이래 보여도 나는 삼 대조가 진사를 하였고(그 첩지가 시방도 버젓이 있다.) 오대조가 호조 판서를 지냈고(족보에 그렇게 분명히 올라 있다.) 칠대조가 영의정을 지냈고(역시 족보에 그렇게 분명히 올라 있다.) …… 시방은 원수의 독립인지 막덕인지 때문에 다 그렇게 되었다지만, 아무튼 두 달 전까지도 어느 놈 앞에서 기침 한 번 크게 못하던 백 부장의 어르신네 이 백 주사가 아닌가. 두 달 전 그때만 같았어도, '이놈!'하고 호통을 하여 당장 물고를 내련만, 그 좋은 세상이 어디로 가고 이 지경이란 말인지 몰랐다.

① 백 주사에 대한 풍자가 드러나 있다.
② 백 주사는 옛날의 권세를 되찾고 싶어 한다.
③ 백 주사는 독립 전에는 떵떵거리고 잘살았다.
④ 백 주사는 속으로는 미스터 방을 괘씸하게 생각하고 있다.
⑤ 백 주사가 미스터 방의 출세에 큰 역할을 했음을 알 수 있다.

06 '미스터 방'이 '백 주사'에게 한 다음 말에서 알 수 있는 '미스터 방'의 성격으로 적절한 것은?

> "머, 지끔 당장이래두, 내 입 한 번만 떨어진다 치면, 기관총 둘러멘 엠피가 백 명이구 천 명이구 들끓어 내려가서, 들이 쑥밭을 만들어 놉니다, 쑥밭을."

① 허세가 심하다.
② 배려심이 깊다.
③ 책임감이 강하다.
④ 엉뚱한 장난을 좋아한다.
⑤ 거짓말을 못하며 순진하다.

07 이 글의 시대적 배경을 짐작하게 해 주는 어휘로 적절한 것은?

① 징 ② 순사 ③ 구두
④ 명당 ⑤ 고을

08 #5에 대한 설명으로 적절하지 않은 것은?

① 미스터 방의 상황이 우연으로 인해 반전된다.
② 미스터 방이 권세를 잃게 될 것임을 암시한다.
③ 미스터 방이 얻은 권력의 허망함을 보여 준다.
④ 미스터 방과 백 주사의 갈등이 모두 해소된다.
⑤ 미스터 방의 모습을 우스꽝스럽게 표현하여 웃음을 자아낸다.

8문제 중에
_____ 문제 맞혔어!

02
운수 좋은 날 ^{현진건}

소재 설렁탕
김 첨지의 아픈 아내가 먹고 싶다고 한 음식. 돈을 번 김 첨지가 설렁탕을 사 가지만 아내는 이미 죽은 후임.

인물 김 첨지
인력거꾼. 일제 강점기에 비참하고 궁핍하게 사는 하층민. 행운이 겹치자 불길한 예감에 집으로 돌아가는 때를 늦추고 있음.

인물 치삼
김 첨지의 친구. 김 첨지의 주정을 받아주며 술동무를 해 줌. 김 첨지가 아내가 죽었다며 횡설수설하자 집으로 들어가라고 권함.

인물 김 첨지의 아내
한 달 넘게 병을 앓고 있으나 약은커녕 밥도 제대로 먹지 못함. 열흘 전에 조밥을 먹다 체한 후 병세가 심해져 결국 김 첨지가 일을 나간 사이 죽음을 맞이함.

배경 1920년대 비 오는 겨울날의 서울
사건 '김 첨지'의 거듭되는 행운과 아내의 죽음
김 첨지가 오래간만에 손님을 연달아 태운 '운수 좋은 날'이 아내가 죽은 '운수 나쁜 날'이 됨.

읽기 포인트 》 김 첨지가 오랜만에 손님을 연달아 태우고 운수가 좋은 날이라고 생각하고 있다. 작품의 분위기로 보아 김 첨지에게 닥친 행운이 과연 계속 이어질지 생각하며 읽어 보자.

#1 ✿ 새침하게 흐린 품이 눈이 올 듯하더니, 눈은 아니 오고 얼다가 만 비가 추적추적 내리었다.

이날이야말로 동소문 안에서 인력거꾼 노릇을 하는 김 첨지에게는 오래간만에
　　　　　　　　　　　　　　　　　　 나이 많은 남자를 낮추어 부르는 말.
도 닥친 운수 좋은 날이었다. 문안에(거기도 문밖은 아니지만) 들어간답시는 앞집
　　　　　　　　　　　　 사대문 안.
마나님을 전찻길까지 모셔다 드린 것을 비롯하여 행여나 손님이 있을까 하고 정
류장에서 어정어정하며, 내리는 사람 하나하나에게 거의 비는 듯한 눈길을 보내
고 있다가, 마침내 교원인 듯한 양복쟁이를 동광 학교까지 태워다 주기로 되었다.

첫 번에 삼십 전, 둘째 번에 오십 전 — 아침 댓바람에 그리 흉하지 않은 일이었
　　　　　　　　　　　　　　 아주 이른 시간.
다. 그야말로 재수가 옴 붙어서 근 열흘 동안 돈 구경도 못한 김 첨지는 십 전짜리
백통화 서 푼, 또는 다섯 푼이 찰칵하고 손바닥에 떨어질 제 거의 눈물을 흘릴 만
큼 기뻤다. 더구나 이날 이때에 이 팔십 전이라는 돈이 그에게 얼마나 유용한지
몰랐다. 컬컬한 목에 모주 한 잔도 적실 수 있거니와, 그보다도 앓는 아내에게 설
렁탕 한 그릇도 사다 줄 수 있음이다.

#2 그의 아내가 기침으로 쿨룩거리기는 벌써 달포가 넘었다. 조밥도 굶기를 먹
　　　　　　　　　　　　　　　　　　　　　　 한 달이 조금 넘는 기간.
다시피 하는 형편이니 물론 약 한 첩 써 본 일이 없다. 구태여 쓰려면 못 쓸 바도 아
니로되, 그는 병이란 놈에게 약을 주어 보내면 재미를 붙여서 자꾸 온다는 자기의
신조에 어디까지 충실하였다. 따라서 의사에게 보인 적이 없으니 무슨 병인지는
굳게 믿어 지키고 있는 생각.
알 수 없으나, 반듯이 누워 가지고 일어나기는새로에 모로도 못 눕는 걸 보면 중
　　　　　　　　　　　　　　　 '고사하고, 그만두고, 커녕'을 뜻하는 말.
증은 중증인 듯, 병이 이다지 심해지기는 열흘 전에 조밥을 먹고 체한 때문이다.
그때도 김 첨지가 오래간만에 돈을 얻어서 좁쌀 한 되와 십 전짜리 나무 한 단을
사다 주었더니, 김 첨지의 말에 의하면, 그년이 천방지축으로 냄비에 대고 끓였다.
마음은 급하고 불길은 달지 않아, 채 익지도 않은 것을 그년이 숟가락은 고만두고
손으로 움켜서 두 뺨에 주먹덩이 같은 혹이 불거지도록 누가 빼앗는 듯이 처박질
하더니만 그날 저녁부터 가슴이 땅긴다, 배가 켕긴다 하고 눈을 홉뜨고 지랄병을
　　　　　　　　　　　　　　　　　　　　　　　 눈알을 위로 굴리고 눈시울을 위로 치뜨고.
하였다. 그때 김 첨지는 열화와 같이 성을 내며,

"에이, 조랑복은 할 수가 없어, 못 먹어 병, 먹어서 병, 어쩌란 말이야! 왜 눈을
복을 받아도 오래 누리지 못하는 사람을 두고 이르는 말.
바루 뜨지 못해!"

★ 별별 포인트 ★

〈 배경의 역할 〉

겨울비가 추적추적 내리는 날씨

↓

● 암울한 분위기를 이끌어 감.
● 비극적인 결말을 암시함.
● 주인공의 복잡한 심리를 반영함.
● 김 첨지의 비참한 삶을 부각함.

#1 핵심 태그
오랜만에 손님을 연달아 태우고
　　　　　 좋은 날이라고
생각하는 김 첨지

★ 별별 포인트 ★

< '설렁탕'의 의미 >

✿ 설렁탕
• 아내에 대한 김 첨지의 애정을 나타냄.
• 설렁탕 한 그릇도 사 먹기 어려운 가난한 현실을 상징함.
• 아내가 결국 설렁탕을 먹지 못하고 죽음으로써 비극성을 강조함.

하고 김 첨지는 앓는 이의 뺨을 한 번 후려갈겼다. 홉뜬 눈은 조금 바루어졌건만 이슬이 맺히었다. 김 첨지의 눈시울도 뜨끈뜨끈한 듯하였다.

이 환자가 그러고도 먹는 데는 물리지 않았다. 사흘 전부터 ✿ 설렁탕 국물이 마시고 싶다고 남편을 졸랐다.

"이런, 조밥도 못 먹는 년이 설렁탕은……. 또 처먹고 지랄을 하게."

라고 야단을 쳐 보았건만, 못 사 주는 마음이 시원치는 않았다.

인제 설렁탕을 사 줄 수도 있다. 앓는 어미 곁에서 배고파 보채는 개똥이(세 살 먹이)에게 죽을 사 줄 수도 있다. ― 팔십 전을 손에 쥔 김 첨지의 마음은 푼푼하였다.
여유 있고 넉넉해졌다.
그러나 그의 행운은 그걸로 그치지 않았다. 땀과 빗물이 섞여 흐르는 목덜미를 기름 주머니가 다 된 광목 수건으로 닦으며, 그 학교 문을 돌아 나올 때였다. 뒤에서 "인력거!" 하고 부르는 소리가 났다. 자기를 불러 멈춘 사람이 그 학교 학생인 줄 김 첨지는 한 번 보고 짐작할 수 있었다. 그 학생은 다짜고짜로,

"남대문 정거장까지 얼마요?"

라고 물었다. 아마도 그 학교 기숙사에 있는 이로 겨울 방학을 이용하여 귀향하려 함이로다. 오늘 가기로 작정은 하였건만, 비는 오고 짐은 있고 해서 어찌할 줄 모르다가 마침 김 첨지를 보고 뛰어나왔음이리라. 그렇지 않다면 왜 구두를 채 신지 못해서 질질 끌고, 비록 '고꾸라' 양복일망정 노박이로 비를 맞으며 김 첨지를 뒤
일본 고쿠라 지방에서 생산되는 옷감.   줄곧 계속적으로.
쫓아 나왔으랴.

"남대문 정거장까지 말씀입니까?"

하고 김 첨지는 잠깐 주저하였다. 그는 이 우중에 우장도 없이 그 먼 곳을 철벅거
비를 맞지 않기 위한 위해서 차려입음. 또는 그런 복장.
리고 가기 싫었음일까? 처음 것, 둘째 것으로 고만 만족하였음일까? 아니다. 결코 아니다. 이상하게도 꼬리를 맞물고 덤비는 이 행운 앞에 조금 겁이 났음이다. 〈중략〉

#2 핵심 태그
손님이 끊이지 않자, 계속되는
_____ 에 겁이 난
김 첨지

#3 김 첨지는 취중에도 설렁탕을 사 가지고 집에 다다랐다. 집이라 해도 물론 셋집이요, 또 집 전체를 세든 게 아니라 안과 뚝 떨어진 행랑방 한 칸을 빌려 든 것인데, 물을 길어 대고 한 달에 일 원씩 내는 터이다. 만일 김 첨지가 주기를 띠지 않았던들 한 발을 대문 앞에 들여놓았을 제 그곳을 지배하는 무시무시한 정적 ― 폭풍우가 지나간 뒤의 바다 같은 정적에 다리가 떨렸으리라. 쿨룩거리는 기침 소리도 들을 수 없다. 그르렁거리는 숨소리조차 들을 수 없다. 다만 이 무덤 같은 침묵을 깨뜨리는 ― 깨뜨린다느니보다 한층 더 침묵을 깊게 하고 불길하게 하는, 빡빡하는 그윽한 소리 ― 어린애의 젖 빠는 소리가 날 뿐이다. 만일 청각이 예민한 이

같으면, 그 빡빡 소리는 빨 따름이요, 꿀떡꿀떡하고 젖 넘어가는 소리가 없으니, 빈 젖을 빤다는 것도 짐작하는지 모르리라.

혹은 김 첨지도 이 불길한 침묵을 짐작했는지도 모른다. 그렇지 않으면 대문에 들어서자마자 전에 없이,

"남편이 들어오는데 나와 보지도 않아, 이년."

이라고 고함을 친 게 수상하다. 이 고함이야말로 제 몸을 엄습해 오는 무시무시한 느낌을 좇아 버리려는 <u>허장성세</u>인 까닭이다.
감정, 생각, 감각이 갑작스럽게 들이닥치거나 덮쳐.
실속은 없으면서 큰소리치거나 허세를 부림.

하여간 김 첨지는 방문을 왈칵 열었다. 구역을 나게 하는 <u>추기</u> ― 떨어진 삿자리 밑에서 나온 먼지내, 빨지 않은 기저귀에서 나는 똥내와 오줌내, 가지각색 때가 켜켜이 앉은 옷 내, <u>병인</u>의 땀 썩은 내가 섞인 추기가, 무딘 김 첨지의 코를 찔렀다.
송장이 썩어서 흐르는 물. 추깃물.
병을 앓고 있는 사람.

방 안에 들어서며 설렁탕을 한구석에 놓을 사이도 없이 주정꾼은 목청을 있는 대로 다 내어 호통을 쳤다.

"이년, <u>주야장천</u> 누워만 있으면 제일이야! 남편이 와도 일어나지를 못해?"
밤낮으로 쉬지 않고 연달아.

라는 소리와 함께 발길로 누운 이의 다리를 몹시 찼다. 그러나 발길에 차이는 건 사람의 살이 아니고 <u>나뭇등걸</u>과 같은 느낌이 있었다. 이때에 빡빡 소리가 응아 소리로 변하였다. 개똥이가 물었던 젖을 빼어 놓고 운다. 운대도 온 얼굴을 찡그려 붙여서 운다는 표정을 할 뿐이라, 응아 소리도 입에서 나는 게 아니고, 마치 배 속에서 나는 듯하였다. 울다가 울다가 목도 잠겼고, 또 울 기운조차 <u>시진한</u> 것 같다.
나무를 베어 내고 남은 밑동.
기운이 빠져 없어진.

발로 차도 그 보람이 없는 걸 보자, 남편은 아내의 머리맡으로 달려들어 그야말로 까치집 같은 환자의 머리를 꺼들어 흔들며,

"이년아, 말을 해, 말을! 입이 붙었어?" / "……."

"으응, 이것 봐, 아무 말이 없네." / "……."

"이년아, 죽었단 말이냐, 왜 말이 없어?" / "……."

"응으, 또 대답이 없네, 정말 죽었나 보이."

이러다가 누운 이의 <u>흰창</u>이 <u>검은창</u>을 덮은, 위로 치뜬 눈을 알아보자마자,
흰자위.
검은자위.

"이 눈깔! 이 눈깔! 왜 나를 바루 보지 못하고 천장만 바라보느냐, 응?"

하는 말끝엔 목이 메었다. 그러자 산 사람의 눈에서 떨어진 닭똥 같은 눈물이 죽은 이의 뻣뻣한 얼굴을 어룽어룽 적시었다. 문득 김 첨지는 미친 듯이 제 얼굴을 죽은 이의 얼굴에 비비대며 중얼거렸다.

"설렁탕을 사다 놓았는데 왜 먹지를 못하니? 왜 먹지를 못하니……? 괴상하게도 오늘은 운수가 좋더니만……."

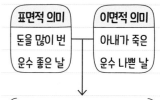

★ 별별 포인트 ★

< 제목 '운수 좋은 날'의 의미 >

표면적 의미	이면적 의미
돈을 많이 번 운수 좋은 날	아내가 죽은 운수 나쁜 날

잇따른 행운으로 돈을 많이 번 날에 아내가 죽는 반어적 상황을 통해 결말의 비극성을 더욱 두드러지게 함.

#3 핵심 태그

＿＿＿ 가 죽은 것을 확인하고 통곡하는 김 첨지

작품 줄거리 요약하기

제시 장면 줄거리

추적추적 **1** ◻ 가 내리던 어느 겨울, 가난한 인력거꾼인 김 첨지는 오래간만에 손님이 끊이지 않는 행운을 맞는다. 김 첨지는 열흘 전 급하게 조밥을 먹고 체한 뒤 병이 더욱 심해진 아내에게 설렁탕을 사 줄 기대감에 마음이 넉넉해지지만, 한편으로는 계속된 행운에 불안감을 느낀다.

중략 부분 줄거리

김 첨지는 계속하여 손님을 태우는데, 집과 멀어지면 발걸음이 가벼워지고 집과 가까워지면 발걸음이 무거워진다. 그는 아내에 대한 걱정으로 서둘러 집으로 가려다가, 불길한 예감에 집으로 가는 발걸음을 최대한 늦춘다.

김 첨지는 마침 선술집에서 나오는 친구 치삼이를 붙잡아 선술집에 들어가 술을 마신다. 술에 취한 김 첨지는 돈을 던지며 화풀이를 하는 한편, 아내가 죽었다고 엉엉 울다가 사실 아내가 안 죽었다며 웃는 등 횡설수설한다. 그 모습에 이상함을 느낀 치삼이는 김 첨지에게 집에 들어가라고 권한다.

제시 장면 줄거리

취한 중에도 **2** ◻◻◻ 을 사 들고 집에 도착한 김 첨지는 고요한 분위기에 불길함을 느끼고 두려움을 떨치려 고함을 친다. 그러나 아내는 이미 죽어 있었고 아들은 빈 젖을 빨며 울고 있을 뿐이었다. 김 첨지는 아내의 죽음을 확인하고 울부짖는다.

01 이 글에 대한 설명으로 맞으면 ○표, 틀리면 ✕표를 하시오.

인물 | 김 첨지는 인력거꾼이다. | ◻

사건 | 김 첨지는 하루 종일 손님이 없어서 손님을 태우기 위해 여기저기 돌아다녔다. | ◻

배경 | 겨울비가 내리던 날 일어난 일이다. | ◻

소재 | 김 첨지의 아내는 결국 '설렁탕'을 먹지 못하고 죽는다. | ◻

별별 포인트
02 다음은 이 소설의 시작 부분이다. 다음과 같은 배경의 상징적 의미로 적절하지 <u>않은</u> 것은?

> 새침하게 흐린 품이 눈이 올 듯하더니, 눈은 아니 오고 얼다가 만 비가 추적추적 내리었다.

① 인물의 복잡한 심리를 표현한다.
② 작품의 비극적인 결말을 암시한다.
③ 작품 전체의 암울한 분위기를 조성한다.
④ 하층민의 열악한 삶의 모습을 드러낸다.
⑤ 인물 간의 갈등과 불화가 심화됨을 나타낸다.

03 이 글의 등장인물이 처한 상황으로 적절하지 <u>않</u>은 것은?

① 김 첨지는 남의 집에 세 들어 살고 있다.
② 김 첨지는 세 살 먹이 아들이 하나 있다.
③ 김 첨지는 매 끼니를 챙겨 먹기 어려운 형편이다.
④ 김 첨지의 아내는 김 첨지가 사다 준 약을 먹고도 병이 낫지 않고 있다.
⑤ 김 첨지의 아내는 열흘 전 익지 않은 조밥을 급하게 먹고 병세가 심해졌다.

04 당시의 사회상을 나타내는 단어로 보기 어려운 것은?

① 달포
② 삼십 전
③ 인력거꾼
④ 고꾸라 양복
⑤ 백통화 서 푼

별별 포인트/✿
05 보기의 설명에 해당하는 소재를 찾아 쓰시오.

보기
• 김 첨지의 가난한 현실을 상징한다.
• 아내에 대한 김 첨지의 애정이 담겨 있다.
• 김 첨지 아내가 죽음으로써 결말을 더욱 비극적으로 만든다.

_____

07 #4의 다음 부분에서 ⓐ~ⓖ 중, '김 첨지 아내'의 죽음을 암시하는 표현끼리 묶은 것은?

만일 김 첨지가 주기를 띠지 않았던들 한 발을 대문 앞에 들여놓았을 제 그곳을 지배하는 ⓐ무시무시한 정적 — 폭풍우가 지나간 뒤의 ⓑ바다 같은 정적에 다리가 떨렸으리라. ⓒ쿨룩거리는 기침 소리도 들을 수 없다. ⓓ그르렁거리는 숨소리조차 들을 수 없다. 다만 이 ⓔ무덤 같은 침묵을 깨뜨리는 — 깨뜨린다느니보다 한층 더 침묵을 깊게 하고 불길하게 하는, ⓕ빡빡 하는 그윽한 소리 — 어린애의 젖 빠는 소리가 날 뿐이다. 만일 청각이 예민한 이 같으면, 그 빡빡 소리는 빨 따름이요, ⓖ꿀떡꿀떡하고 젖 넘어가는 소리가 없으니, 빈 젖을 빤다는 것도 짐작할는지 모르리라.

① ⓐ, ⓑ, ⓓ, ⓔ
② ⓐ, ⓑ, ⓔ, ⓕ
③ ⓐ, ⓒ, ⓕ, ⓖ
④ ⓑ, ⓒ, ⓓ, ⓖ
⑤ ⓑ, ⓓ, ⓔ, ⓕ

06 '김 첨지'가 다음과 같이 비속어를 사용함으로써 얻을 수 있는 효과로 가장 적절한 것은?

• "이런, 조밥도 못 먹는 년이 설렁탕은……. 또 처먹고 지랄을 하게."
• "이 눈깔! 이 눈깔! 왜 나를 바루 보지 못하고 천장만 바라보느냐, 응?"

① 김 첨지의 심리 변화를 나타낸다.
② 사건에 대한 독자의 호기심을 유발한다.
③ 하층민의 생활상을 사실감 있게 보여 준다.
④ 김 첨지에게 닥칠 비극적 상황을 암시한다.
⑤ 시대에 따라 달라지는 언어의 특징을 드러낸다.

별별 포인트/✿
08 이 글의 제목인 '운수 좋은 날'에 대한 설명으로 가장 적절한 것은?

① 가장 비극적인 날을 반어적으로 표현한 것이다.
② 가난한 사람도 열심히 일하면 복을 받는다는 뜻이다.
③ 돈을 가장 소중하게 여기는 물질 만능 주의를 비판한다.
④ 인간은 정해진 운명을 받아들여야 한다는 주제를 드러낸다.
⑤ 김 첨지에게 연이어 생긴 행운이 불행의 원인이 됨을 의미한다.

02 운수 좋은 날

8문제 중에
_____ 문제 맞혔어!

03
봄·봄
김유정

소재 성례(결혼)

사건 '나'와 '장인'의 싸움과 화해

점순이와 성례를 올리고 싶은 '나'와, 성례를 미루며 '나'를
계속 부리고 싶은 장인 간의 갈등과 화해가 반복됨.

인물 장인

교활하고 괴팍한 성격의 동네
마름. 데릴사위라는 명목으로
청년들을 데려다 부려 먹음.

도대체 그놈의 키는
언제 크는겨!

으이구!
바보!

실컷 부려
먹어야지!!

인물 '나'

점순이와 결혼하기 위해 몇 년 째 일을
돕고 있는 데릴사위. 순박하고 어수룩한
성격으로, 점순이와 뭉태의 부추김에
장인과 싸웠다 화해하기를 반복함.

인물 점순

장인의 딸. 성례를 조르라고
'나'를 부추기지만, 막상 '나'와
장인이 싸우자 장인의 편을 듦.

배경 1930년대 봄, 강원도 산골 농촌 마을

읽기 포인트 》 '나'가 점순이와의 성례를 미루는 장인과 갈등하고 있다. '나'와 '나'를 둘러싼 등장인물들의 성격은 어떠한지, '나'와 장인이 갈등하는 근본적인 이유는 무엇인지 파악하며 읽어 보자.

#1 그래 내 어저께 싸운 것이지 결코 장인님이 밉다든가 해서가 아니다.

모를 붓다가 가만히 생각을 해 보니까 또 승겁다. 이 벼가 자라서 점순이가 먹고
〔'싱겁다'의 방언.〕
좀 큰다면 모르지만, 그렇지도 못할 걸 내 심어서 뭘 하는 거냐. 해마다 앞으로 축
불거지는 장인님의 아랫배(가 너무 먹은 걸 모르고 내병이라나, 그 배)를 불리기 위
〔몸 안의 병.〕
하야 심으곤 조금도 싶지 않다.

"아이구, 배야!" / 난 모를 붓다 말고 배를 쓰다듬으면서 그대로 논둑으로 기어
올랐다. 그리고 겨드랑에 꼈던 벼 담긴 키를 그냥 땅바닥에 털썩 떨어치며 나도 털
〔위아래로 흔들어 곡식의 티나 검불을 날려 버리는 도구.〕
썩 주저앉았다. 일이 암만 바뻐도 나 배 아프면 고만이니까. 아픈 사람이 누가 일
을 하느냐. 파릇파릇 돋아 오른 풀 한 숲을 뜯어 들고 다리의 거머리를 쓱쓱 문대
며 장인님의 얼굴을 쳐다보았다.

논 가운데에서 장인님도 이상한 눈을 해 가지고 한참 날 노려보더니,

"너, 이 자식, 왜 또 이래, 응?" / "배가 좀 아파서유!"
하고 풀 위에 슬며시 쓰러지니까 장인님은 약이 올랐다. 저도 논에서 철벙철벙 둑
으로 올라오드니 잡은 참 내 멱살을 움켜잡고 뺨을 치는 것이 아닌가……

"이 자식아, 일허다 말면 누굴 망해 놀 속셈이냐? 이 대가릴 까놀 자식."

#1 핵심 태그

장인에 대한 불만으로

#[____]가 아프다고

꾀병을 부리는 '나'

#2 ✄ 우리 장인님은 약이 오르면 이렇게 손버릇이 아주 못됐다. 또, 사위에게 이
자식 저 자식 하는 이놈의 장인님은 어디 있느냐. 오죽해야 우리 동리에서 누굴 물
론하고 그에게 욕을 안 먹는 사람은 명이 짧다 한다. 조고만 아이들까지도 그를
돌라세워 놓고 ✄ '욕필이(본래 이름이 봉필이니까), 욕필이' 하고 손가락질을 할 만
〔여럿이 둥글게 늘어서.〕
치 두루 인심을 잃었다. 허나, ✄ 인심을 정말 잃었다면 욕보다 읍의 배 참봉 댁
마름으로 더 잃었다. 본래 마름이란 욕 잘하고, 사람 잘 치고, 그리고 생김 생기길
〔땅 주인 대신 소작지를 관리하던 사람.〕
호박개 같아야 쓰는 거지만, 장인님은 외양이 똑 됐다. 소작인이 닭 마리나 좀 보
〔뼈대가 굵고 털이 북슬북슬한 개.〕
내지 않는다든가 애벌논 때 품을 좀 안 준다든가 하면 그해 가을에는 영락없이 땅
〔첫 김매기를 한 논.〕
이 뚝뚝 떨어진다. 그러면 미리부터 돈도 먹이고 술도 먹이고 안달재신으로 돌아
〔몹시 속을 태우며 여기저기로 다니는 사람.〕
치든 놈이 그 땅을 슬쩍 가로챈다. 이 바람에 장인님 집 빈 외양간에는 눈깔 커다
란 황소 한 놈이 절로 엉금엉금 기어들고, 동리 사람은 그 욕을 다 먹어 가면서도
그래도 굽실굽실하는 게 아닌가……

★ 별별 포인트 ★

< '장인'의 성격 >

• 손버릇이 못됐음.
• '욕필이'로 불릴 정도로 욕을 잘함.
• 마름으로서 소작인을 착취함.

↓

욕심이 많으며 괴팍하고 교활함.

#2 핵심 태그

마을에서 '**#**[____]'라고

불리며 인심을 잃은 장인

#3 그러나 내겐 장인님이 감히 큰소리할 계제가 못 된다.
　　　　　　　　　　　　　　　어떤 일을 할 수 있게 된 형편이나 기회.

뒷생각은 못 하고 뺨 한 개를 딱 때려 놓고는 장인님은 무색해서 덤덤히 쓴 침만 삼킨다. 난 그 속을 퍽 잘 안다. 조금 있으면 갈도 꺾어야 하고, 모도 내야 하고, 한창 바쁜 때인데 나 일 안 하고 우리 집으로 그냥 가면 고만이니까.

작년 이맘때도 트집을 좀 하니까 늦잠 잔다구 돌멩이를 집어 던져서 자는 놈의 발목을 삐게 해 놨다. 사나흘씩이나 건성 '꿍, 꿍.' 앓았드니 종당에는 거지반 울상이 되지 않았는가……
　　　　　　　　　　　　　　　　일의 마지막.

"얘, 그만 일어나 일 좀 해라. 그래야 올가을에 벼가 잘되면 너 장가들지 않니?"

그래 귀가 번쩍 뜨여서 그날로 일어나서 남이 이틀 품 들일 논을 혼자 삶어 놓으니까 장인님도 눈깔이 커다랗게 놀랐다. 그럼 정말로 가을에 와서 혼인을 시켜 줘야 온 경우가 옳지 않겠나. 볏섬을 척척 들여쌓아도 다른 소리는 없고 물동이를 이고 들어오는 점순이를 담배통으로 가리키며,

"이 자식아, 미처 커야지. 조걸 데리구 무슨 혼인을 한다구 그러니, 온!"

하고 남 낯짝만 붉게 해 주고 고만이다. 골김에 그저 이놈의 장인님 하고 댓돌에다 메어꽂고 우리 고향으로 내뺄까 하다가 꾹꾹 참고 말았다.
　　　　비위에 거슬리거나 마음이 언짢아서 성이 나는 김.

참말이지 난 이 꼴 하고는 집으로 차마 못 간다. 장가를 들러 갔다가 오죽 못났어야 그대로 쫓겨 왔느냐고 손가락질을 받을 테니까……

논둑에서 벌떡 일어나 한풀 죽은 장인님 앞으로 다가서며,

"난 갈 테야유. 그 동안 새경 쳐 내슈, 뭐."
　　　　　　　머슴이 주인에게서 한 해 동안 일한 대가로 받는 돈이나 물건.
"너, 사위로 왔지 어디 머슴 살러 왔니?"

"그러면 얼른 성례를 해 줘야 안 하지유. 밤낮 부려만 먹고 해 준다, 해 준다……"
　　　　　　　　　혼인의 예식을 지냄.

"글쎄, 내가 안 하는 거냐, 그년이 안 크니까……"

하고 어름어름 담배만 담으면서 늘 하는 소리를 또 늘어놓는다.
　　　우물쭈물하는 모습.
이렇게 따져 나가면 언제든지 늘 나만 밑지고 만다. 이번엔 안 된다 하고 대뜸 구장님한테로 단판 가자고 소맷자락을 내끌었다.
시골 동네의 우두머리를 이르던 말.
"아, 이 자식이 왜 이래, 어른을."

안 간다구 뻗대고 이렇게 호령은 제 맘대로 하지만 장인님 제가 내 기운은 못 당한다. 막 부려 먹고 딸은 안 주고, 게다 땅땅 치는 건 다 뭐야……

그러나 내 사실 참, 장인님이 미워서 그런 것은 아니다.

#4 그 전날, 왜 내가 새고개 맞은 봉우리 화전밭을 혼자 갈고 있지 않었느냐. 밭 가생이로 돌 적마다 야릇한 꽃내가 물컥물컥 코를 찌르고 머리 위에서 벌들은 가

'가장자리'의 방언.

끔 '붕, 붕.' 소리를 친다. 바위틈에서 샘물 소리밖에 안 들리는 산골짜기니까 맑은 하늘의 봄볕은 이불 속같이 따스하고 꼭 꿈꾸는 것 같다. 나는 몸이 나른하고 몸살(을 아직 모르지만 병)이 나려고 그러는지 가슴이 울렁울렁하고 이랬다.

"어러이! 말이! 맘 마 마……." / 이렇게 노래를 하며 소를 부리면 여느 때 같으면 어깨가 으쓱으쓱한다. 웬일인지 밭 반도 갈지 않어서, 온몸의 맥이 풀리고 대고

계속하며 자꾸.

짜증만 난다. 공연히 소만 들입다 두들기며

"안야! 안야! 이 망할 자식의 소(장인님의 소니까) 다리를 꺾어 들라."

그러나 내 속은 정말 안야 때문이 아니라 점심을 이고 온 점순이의 키를 보고 울

마음속이 답답하여 일어나는 화.

화가 났던 것이다. / 점순이는 뭐 그리 썩 이쁜 계집애는 못 된다. 그렇다구 또 개떡이냐 하면 그런 것두 아니고, 꼭 내 아내가 돼야 할 만치 그저 툽툽하게 생긴 얼

생김새가 멋이 없고 투박하게.

굴이다. 나보다 십 년이 아래니까 올해 열여섯인데, 몸은 남보다 두 살이나 덜 자랐다. 남은 잘도 훤칠히들 크건만 이건 위아래가 몽툭한 것이 내 눈에는 영락없이 감참외 같다. 참외 중에는 감참외가 젤 맛 좋고 이쁘니까 말이다. 둥글고 커다란 눈은 서글서글하니 좋고, 좀 지쳐 찢어졌지만 입은 밥술이나 톡톡히 먹음직하니 좋다. 아따, 밥만 많이 먹게 되면 팔자는 고만 아니냐. 헌데 한 가지 결점이 있다면 가끔가다 몸이 (장인님은 이걸 채신없이 들까분다고 하지만) 너무 빨리빨리 논다.

몹시 경망하게 행동한다고.

그래서 밥을 나르다가 때 없이 풀밭에다 깨빡을 쳐서 흙투성이 밥을 곧잘 먹인다. 안 먹으면 무안해할까 봐서 이걸 씹고 앉었노라면 으적으적 소리만 나고 돌을 먹는 겐지 밥을 먹는 겐지…….

그러나 이날은 웬일인지 성한 밥채로 밭머리에 곱게 내려놓았다. 그리고 또 내외

남의 남녀 사이에 서로 얼굴을 마주 대하지 않고 피함.

를 해야 하니까 저만큼 떨어져 이쪽으로 등을 향하고 웅크리고 앉어서 그릇 나기를 기다린다. / 내가 다 먹고 물러섰을 때, 그릇을 와서 챙기는데 난 깜짝 놀라지 않었느냐. 고개를 푹 숙이고 밥함지에 그릇을 포개면서 날더러 들으라는지 혹은 제 소린지

"밤낮 일만 하다 말 텐가!"

하고 혼자서 쫑알거린다. 고대 잘 내외하다가 이게 무슨 소린가, 하고 난 정신이 얼떨떨했다. 그러면서 한편 무슨 좋은 수나 있는가 싶어서 나도 공중을 대고 혼잣말로 / "그럼 어떡해?"

하니까, / "성례시켜 달라지 뭘 어떡해."

하고 되알지게 쏘아붙이고 얼굴이 발개져서 산으로 그저 도망질을 친다.

03 봄·봄

★ 별별 포인트 ★

< '봄'의 상징적 의미 >

봄

• 만물이 자라는 계절로 청춘 남녀에게는 연정의 계절임.

• '나'와 점순이가 이성에 눈을 뜨는 시기임.

• 제목 '봄·봄'과 연결되어, '나'와 장인의 갈등이 반복됨을 암시함.

#4 핵심 태그

#[   ]이 되자 가슴이 울렁거리는 '나'와, 이런 '나'를 부추기는 점순

작품 줄거리 요약하기

01 이 글에 대한 설명으로 맞으면 ○표, 틀리면 ✕표를 하시오.

앞부분 줄거리

[3년 7개월 전] '나'는 점순이의 키가 자라면 성례를 시켜 준다는 장인의 말을 믿고 데릴사위로 들어와 3년 7개월 동안 새경도 받지 못한 채 일만 한다.

인물 | '나'와 점순이는 서로 관심이 없다.

제시 장면 줄거리

[어제 오후] 장인이 점순이의 **1**〔   〕를 핑계로 계속 성례를 미루자 '나'는 꾀병을 부리며 그동안 일한 새경을 요구하며 구장을 찾아가자고 한다.

사건 | 장인은 점순이의 키를 핑계로 '나'와의 성례를 미루고 있다.

[작년] 장인이 성례 문제로 투덜대던 '나'에게 돌멩이를 던져 발을 삐게 한다. '나'가 앓는 척하며 일을 안 하자 장인은 가을에 장가들게 해 주겠다며 '나'를 달래고, '나'는 열심히 일한다.

배경 | 어촌 마을을 배경으로 하여 향토적 정감이 느껴진다.

[그제 낮] 화전밭을 갈던 '나'는 봄 기운에 가슴이 울렁거리고, 마침 점순이가 장인에게 **2**〔   〕를 시켜 달라고 하라며 '나'를 부추긴다.

소재 | '감참외'는 '나'에 대한 점순이의 애정을 드러낸다.

뒷부분 줄거리

[어제 오후, 밤] '나'는 장인과 함께 구장을 찾아가나, 장인의 편인 구장의 협박과 회유에 넘어간다. 이를 들은 뭉태가 화를 내며 장인의 속셈을 이야기하지만, '나'는 귀담아듣지 않는다.

02 〔보기〕에서 이 글의 서술상 특징으로 적절한 것을 골라 바르게 묶은 것은?

〔보기〕
ㄱ. 방언을 사용해 토속적인 느낌을 주고 있다.
ㄴ. 시간의 순서에 따라 사건을 전개하고 있다.
ㄷ. 서술자가 인물의 외양을 직접 말하고 있다.
ㄹ. 일제의 강점으로 고달픈 농민들의 현실을 묘사하고 있다.

① ㄱ, ㄴ   ② ㄱ, ㄷ   ③ ㄴ, ㄷ
④ ㄴ, ㄹ   ⑤ ㄷ, ㄹ

[오늘 오전] 점순이가 구장에게 갔다가 그냥 온 '나'를 부추기자, '나'는 장인과 몸싸움을 벌인다. '나'는 자신의 편을 들어 줄 것이라 믿었던 점순이가 장인 편을 들자 당황해한다. '나'는 가을에 점순이와 성례시켜 주겠다는 장인의 말을 믿고 다시 일터로 나간다.

특별 포인트!
03 '나'와 '장인'이 갈등하는 근본적인 이유로 적절한 것은?

① 장인이 '나'를 자꾸 때리기 때문에
② 점순이의 키가 빨리 크지 않기 때문에
③ 장인이 점순이에게 '나'의 흉을 보기 때문에
④ 장인이 '나'와 점순이의 성례를 미루기 때문에
⑤ 장인이 '나'가 부치던 땅을 다른 사람에게 주었기 때문에

04 보기의 사건이 일어난 순서에 따라 기호를 쓰시오.

> 보기
>
> ㄱ. '나'가 장인이 던진 돌멩이에 발목을 삐었다.
> ㄴ. '나'가 모를 심다 배가 아프다며 꾀병을 부렸다.
> ㄷ. '나'가 장인에게 구장의 판단을 받으러 가자고 하였다.
> ㄹ. 점순이가 '나'를 충동질하여 성례하고 싶은 의사를 표현하였다.

	→		→		→	

05 이 글을 읽고 당시의 사회상을 추측한 내용으로 적절하지 않은 것은?

① 남녀 사이에 내외하는 관습이 있었군.
② 인심을 잃으면 살던 동네를 떠나야 했군.
③ 성례를 조건으로 데릴사위를 들일 수 있었군.
④ 주인의 땅을 관리하는 사람과 땅을 얻어 부치는 사람이 따로 있었군.
⑤ 마을 사람들 사이에 갈등이 있으면 구장과 같은 마을 어른이 중재했군.

특별 포인트
06 이 글의 등장인물에 대한 설명으로 적절하지 않은 것은?

① '나': 꾀병을 부려 일을 쉬는 것으로 보아 게으르다.
② '나': 장인의 구슬림에 매번 넘어가는 것으로 보아 순박하다.
③ 장인: 소작인으로부터 뇌물을 받는 것으로 보아 욕심이 많다.
④ 장인: 아이들까지 '욕필이'라고 부르는 것으로 보아 교활하고 괴팍하다.
⑤ 점순: 성례를 시켜 달라고 하라며 '나'를 부추기는 것으로 보아 적극적이다.

07 '점순'의 외모에 대한 '나'의 생각으로 적절하지 않은 것은?

	'점순'의 외모	'나'의 생각
①	툽툽하게 생긴 얼굴	꼭 자신의 아내가 될 정도의 얼굴임.
②	감참외같이 위아래가 몽툭한 몸	좋고 이쁨.
③	둥글고 커다란 눈	서글서글하니 좋음.
④	좀 지쳐 찢어진 입	밥술이나 톡톡히 먹음직하여 좋음.
⑤	빨리빨리 노는 몸	활달해 좋음.

특별 포인트
08 다음 #4의 내용으로 보아 이 글의 제목인 '봄·봄'의 의미로 가장 적절한 것은?

> 바위틈에서 샘물 소리밖에 안 들리는 산골짜기니까 맑은 하늘의 봄볕은 이불 속같이 따스하고 꼭 꿈꾸는 것 같다. 나는 몸이 나른하고 몸살(을 아직 모르지만 병)이 나려고 그러는지 가슴이 울렁울렁하고 이랬다.

① '나'와 점순이와의 성례가 봄에 이루어질 것임을 의미한다.
② 따뜻한 봄의 기운처럼 '나'와 장인이 서로 화해할 것임을 알려 준다.
③ 만물이 생동하는 봄처럼 인물들 간에 새로운 갈등이 생길 것임을 암시한다.
④ 봄마다 되풀이되는 갈등으로 인하여 '나'와 점순이가 이별할 것임을 예고한다.
⑤ 봄이 청춘 남녀인 '나'와 점순이의 가슴을 울렁거리게 하는 사랑의 계절임을 나타낸다.

8문제 중에
_____문제 맞혔어!

04
유리창 1

정지용

시어 유리

유리창은 투명하여 화자와 죽은 아이가 만날 수 있는 매개체가 됨. 그러나 한편으로는 안(삶)과 밖(죽음)을 나누어 화자와 죽은 아이 사이를 단절함.

화자 자식을 잃은 아버지(시인)

화자가 겉으로 드러나 있지는 않으나, 시인이 자신의 아이를 잃은 뒤 지은 작품이므로, 자식을 잃은 아버지임을 짐작할 수 있음.

표현 감정을 절제한 표현

아이의 죽음으로 인한 깊은 슬픔을 직접 말하지 않고, 대비되는 감정과 함께 표현하는 등 감정을 절제하고 이성적으로 나타냄.

읽기 포인트 » 화자는 죽은 자식에 대한 그리움과 슬픔을 '유리창'을 통해 나타내고 있다. '유리창'의 상징적 의미와 죽은 자식을 표현한 시어가 무엇인지 파악하며 읽어 보자.

⁂유리에 ⁂차고 슬픈 것이 어른거린다.

열없이 붙어 서서 입김을 흐리우니

길들은 양 ⁂언 날개를 파닥거린다.

지우고 보고 지우고 보아도

새까만 밤이 밀려 나가고 밀려와 부딪치고,

⁂물 먹은 별이, 반짝, 보석처럼 박힌다.

밤에 홀로 유리를 닦는 것은

외로운 황홀한 심사이어니,
어떤 일에 대한 여러 마음의 작용.

고운 폐혈관이 찢어진 채로

아아, 너는 ⁂산새처럼 날아갔구나!

핵심 태그

입김과 밤하늘의

❶ # 　　　　 에서
죽은 아이를 떠올림

❷ # 　　　　 를
닦으며 느끼는 심정과
죽은 아이에 대한 탄식

★ 별별 포인트 ★

< '유리창'의 상징적 의미 >

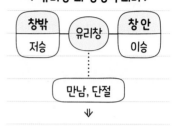

★ 별별 포인트 ★

<죽은 아이를 형상화한 표현>

[01~08] 다음 시를 읽고 물음에 답하시오.

㉠유리에 차고 슬픈 것이 어른거린다.
㉡열없이 붙어 서서 입김을 흐리우니
길들은 양 언 날개를 파닥거린다.
㉢지우고 보고 지우고 보아도
새까만 밤이 밀려 나가고 밀려와 부딪치고,
㉣물 먹은 별이, 반짝, 보석처럼 박힌다.
밤에 홀로 유리를 닦는 것은
외로운 황홀한 심사이어니,
㉤고운 폐혈관이 찢어진 채로
아아, ⓐ너는 산새처럼 날아갔구나!

오엑스 확인 문제

01 이 시에 대한 설명으로 맞으면 ○표, 틀리면 ✕표를 하시오.

화자 | 화자는 부모를 잃은 자식이다. | ⬭

시어 | '유리'는 '만남'과 '단절'이라는 이중적 의미를 지닌다. | ⬭

표현 | 슬픔이라는 감정을 극대화한 표현들을 주로 사용하였다. | ⬭

별별 포인트! ✿
02 이 시의 제목인 '유리창'의 의미로 적절하지 않은 것은?

① 화자가 그리워하는 대상
② 이승과 저승을 단절하는 경계
③ 화자가 죽은 아이를 떠올리는 매개체
④ 화자가 죽은 아이와 만날 수 있는 통로
⑤ 화자가 죽은 아이에게 다가갈 수 없게 막는 장애물

03 이 시에 나타난 시적 화자의 태도로 가장 적절한 것은?

① 이별하는 상황을 받아들이고 체념하는 태도
② 자신의 삶을 되돌아보고 잘못을 반성하는 태도
③ 현실의 괴로움을 잊고 초월적 세계를 탐구하는 태도
④ 자신의 감정을 직설적으로 드러내지 않고 절제하는 태도
⑤ 부정적인 현실에서도 자신의 뜻을 이루고자 애쓰는 적극적인 태도

04 이 시의 표현상 특징으로 적절한 것은?

① 일정한 글자 수를 반복하여 리듬감을 만들고 있다.
② 명령형으로 문장을 끝맺어 화자의 의지를 강조하고 있다.
③ 감각적 이미지를 활용하여 화자의 정서를 표현하고 있다.
④ 시의 처음과 끝에 동일한 시행을 배치하여 안정감을 주고 있다.
⑤ 추측을 나타내는 표현을 사용하여 화자가 처한 상황을 드러내고 있다.

05 보기에서 설명하고 있는 시행을 이 시에서 찾아 쓰시오.

> 보기
> 아이의 죽음으로 아이를 다시는 만날 수 없다는 거리감에서 느껴지는 외로움과, 유리창을 통해 아이의 영혼을 만나는 순간의 황홀함이 교차하는 모순된 상황을 나타내고 있다.

_____

특별 포인트
06 ⓐ를 형상화한 표현으로 볼 수 없는 것은?

① 차고 슬픈 것
② 언 날개
③ 새까만 밤
④ 물 먹은 별
⑤ 산새

07 ㉠~㉢에 대한 설명으로 적절하지 않은 것은?

① ㉠: 북받쳐 오르는 슬픔을 억누르고 있다.
② ㉡: 유리에 어리는 입김에서 죽은 아이를 떠올리고 있다.
③ ㉢: 아이를 지키지 못한 죄책감을 지우기 위한 행동이다.
④ ㉣: 화자의 눈에 눈물이 맺혔음을 짐작할 수 있다.
⑤ ㉤: 아이가 죽은 원인을 암시하고 있다.

08 이 시와 보기의 시를 비교한 내용으로 가장 적절한 것은?

> 보기
> 너는 어디로 갔느냐.
> 그 어질고 안쓰럽고 다정한 눈짓을 하고.
> 형님!
> 부르는 목소리는 들리는데
> 내 목소리는 미치지 못하는.
> 다만 여기는
> 열매가 떨어지면
> 툭 하는 소리가 들리는 세상.
>
> – 박목월, 「하관」 중

① 이 시와 보기의 시간적 배경은 밤이다.
② 이 시의 '너'와 보기의 '너'는 화자의 자식이다.
③ 이 시의 유리창 안과 보기의 '여기'는 이승을 의미한다.
④ 이 시의 화자는 독백을 하고 있지만, 보기의 화자는 대화를 하고 있다.
⑤ 이 시의 화자와 보기의 화자 모두 대립적 시어를 사용하여 감정을 조절하고 있다.

8문제 중에 _____ 문제 맞혔어!

05

고향 백석

표현 '의원'과 '나'의 대화 형식
극적이며 서사적 구조의 형식.
의원과 '나'가 서로 관련이 있음을
확인하는 과정임.

시어 의원
화자에게 고향을 떠올리게 하는
사람임. 화자가 아는 아무개 씨와
친구 사이임.

화자 '나'
타향에서 홀로 앓고 있는 '나'가
의원에게서 따스함을 느낌.

읽기 포인트 》 타향에서 혼자 앓아누운 화자는 진찰을 하러 온 의원에게서 고향을 느끼며 위로받고 있다. 의원과 '나'가 나눈 대화 내용을 통해 '고향'의 의미를 생각하며 읽어 보자.

나는 북관에 혼자 앓아누워서
　함경도의 다른 이름.
어느 아침 의원을 뵈이었다.

의원은 여래 같은 상을 하고 관공의 수염을 드리
　'부처'를 달리 이르는 말.　　　관우를 높여 부르는 말.
워서

먼 옛적 어느 나라 신선 같은데

새끼손톱 길게 돋은 손을 내어

묵묵하니 한참 맥을 짚더니
　말 없이 잠잠하게.
문득 물어 고향이 어데냐 한다.

평안도 정주라는 곳이라 한즉

그러면 아무개 씨 고향이란다.

그러면 아무개 씰 아느냐 한즉

의원은 빙긋이 웃음을 띠고

막역지간이라며 수염을 쓸는다.
　허물이 없는 아주 친한 사이.
나는 아버지로 섬기는 이라 한즉

의원은 또다시 넌지시 웃고

말없이 팔을 잡아 맥을 보는데

☆손길은 따스하고 부드러워

고향도 아버지도 아버지의 친구도 다 있었다.

핵심 태그

'나'에게
1 #　　　　　을 묻는
의원

의원의 **2** /#
을 통해 고향에 대한
그리움을 달래는 '나'

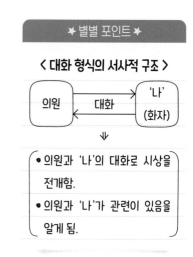

★ 별별 포인트 ★

〈 대화 형식의 서사적 구조 〉

의원　←대화→　'나'
　　　　　　　　（화자）
⇓

• 의원과 '나'의 대화로 시상을
　전개함.
• 의원과 '나'가 관련이 있음을
　알게 됨.

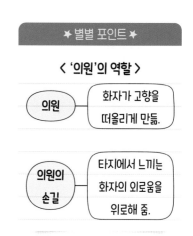

★ 별별 포인트 ★

〈 '의원'의 역할 〉

의원 — 화자가 고향을
　　　　떠올리게 만듦.

의원의 손길 — 타지에서 느끼는
　　　　화자의 외로움을
　　　　위로해 줌.

[01~08] 다음 시를 읽고 물음에 답하시오.

나는 북관에 혼자 앓아누워서

어느 아침 의원을 뵈이었다.

의원은 여래 같은 상을 하고 관공의 수염을 드리워서

면 옛적 어느 나라 신선 같은데

새끼손톱 길게 돋은 손을 내어

묵묵하니 한참 맥을 짚더니

문득 물어 고향이 어데냐 한다.

평안도 정주라는 곳이라 한즉

그러면 아무개 씨 고향이란다.

그러면 아무개 씰 아느냐 한즉   [A]

의원은 빙긋이 웃음을 띠고

막역지간이라며 수염을 쓸는다.

나는 아버지로 섬기는 이라 한즉

의원은 또다시 넌지시 웃고

말없이 팔을 잡아 맥을 보는데

손길은 따스하고 부드러워

㉠고향도 아버지도 아버지의 친구도 다 있었다.

오엑스 확인 문제

01 이 시에 대한 설명으로 맞으면 ○표, 틀리면 ✕표를 하시오.

화자 '나'와 아무개 씨의 고향은 평안도 정주이다.

시어 '북관'은 '나'가 혼자 앓아누운 곳으로 타향을 의미한다.

표현 의원과 '나'의 대화를 통해 시상을 전개하고 있다.

02 이 시를 읽고 알 수 있는 내용으로 적절하지 **않**은 것은?

① 의원은 인자해 보이는 인상이다.
② '나'는 고향을 떠나와 북관에 있다.
③ '나'는 곧 고향으로 돌아갈 예정이다.
④ 아무개 씨와 의원은 아주 친한 사이이다.
⑤ '나'는 병이 들어도 돌보아 줄 사람이 없다.

03 보기 에서 설명하는 시구로 적절한 것은?

보기
• 화자가 고향을 떠올리게 만듦.
• 화자가 타지에서 느끼는 외로움을 따뜻하게 위로해 줌.

① 어느 아침
② 관공의 수염
③ 평안도 정주라는 곳
④ 아버지로 섬기는 이
⑤ 손길은 따스하고 부드러워

04 보기의 설명에서 밑줄 친 '동화적 요소'가 나타난 시행으로 적절한 것은?

> 보기
>
> 이 시의 글쓴이인 백석은 평안도 지방의 사투리나 토속적인 시어를 사용하여 농촌의 정서를 드러내거나, 동화적 요소를 활용하여 인물이나 상황을 표현한 시를 썼다.

① 먼 옛적 어느 나라 신선 같은데
② 새끼손톱 길게 돋은 손을 내어
③ 묵묵하니 한참 맥을 짚더니
④ 의원은 빙긋이 웃음을 띠고
⑤ 의원은 또다시 넌지시 웃고

별별 포인트! ☆
05 [A]에 대한 설명으로 적절하지 <u>않은</u> 것은?

① 상황을 압축적으로 전달해 준다.
② '나'와 의원의 관련성을 보여 준다.
③ 장면을 극적이고 생생하게 그려 낸다.
④ 의원과 '나'의 대화 형식으로 시상을 전개한다.
⑤ 의원에 대한 '나'의 태도가 부정적으로 변하고 있음을 보여 준다.

06 ㉠에 담긴 의미로 가장 적절한 것은?

① 예전에 의원을 고향에서 만난 적이 있다.
② 의원으로부터 고향의 소식을 전해 들었다.
③ 의원이 아픈 '나'를 고향으로 데려다주었다.
④ 의원의 뛰어난 의술 덕분에 병이 모두 나았다.
⑤ 의원에게서 고향의 따뜻함과 가족의 정을 느꼈다.

07 이 시의 등장인물을 보기와 같이 정리할 때, ⓐ~ⓓ에 대한 설명으로 적절하지 <u>않은</u> 것은?

> 보기
>
>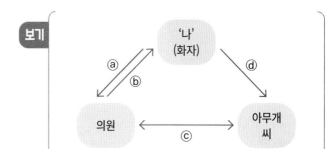

① ⓐ: '나'는 의원에게서 자비롭고 인자한 인상을 받았다.
② ⓑ: 의원은 아픈 '나'가 치료를 받기 위해 만난 인물이다.
③ ⓑ: 의원은 '나'가 아무개 씨의 고향 사람임을 이미 알고 있었다.
④ ⓒ: 의원과 아무개 씨는 서로 허물없이 지내는 친구 사이이다.
⑤ ⓓ: 아무개 씨는 '나'가 고향에서 아버지처럼 여기던 인물이다.

08 이 시에 대한 감상으로 적절하지 <u>않은</u> 것은?

① 화자에게 고향은 공동체적 삶의 모습이 담긴 공간이겠군.
② 이 시에 묘사된 의원의 모습에서 자상한 아버지의 모습이 떠오르는군.
③ 변해 버린 고향의 모습을 바라보면서 화자는 커다란 상실감을 느꼈겠군.
④ 화자의 담담한 어조는 고향에 대한 그리움을 더 효과적으로 전달해 주고 있군.
⑤ 고향을 떠나 혼자서 살아가는 사람들은 화자의 마음에 더 크게 공감할 수 있겠군.

8문제 중에
_____문제 맞혔어!

어휘로
마무리

01 미스터 방   02 운수 좋은 날   03 봄·봄
04 유리창 1   05 고향

01 다음은 단위를 나타내는 어휘이다. 각 문장의 빈칸에 들어갈 알맞은 것을 골라 쓰시오.

| 되 | 첩 | 칸 | 단 |

한줄 Hint ⌁✶

'수'를 나타내는 말 바로 앞에 어떤 어휘가 오는지 살펴본다.

(1) 집 전체를 세든 게 아니라 안과 뚝 떨어진 행랑방 한 [   ]을 빌려 살고 있다.

(2) 조밥도 굶기를 먹다시피 하는 형편이니 물론 약 한 [   ] 써 본 일이 없다.

(3) 그때도 김 첨지가 오래간만에 돈을 얻어서 좁쌀 한 [   ]와 십 전짜리 나무 한 [   ]을 샀다.

한줄 Hint ⌁✶

기운이 없고 피곤한 느낌을 표현하는 어휘가 아닌 것을 찾는다.

02 다음 밑줄 친 어휘와 바꾸어 쓰기에 적절하지 않은 것은?

> 나는 몸이 <u>나른하고</u> 몸살이 날려구 그러는지 가슴이 울렁울렁하고 이랬다.

① 지치고   ② 늘어지고
③ 거뜬하고   ④ 노곤하고
⑤ 고단하고

한줄 Hint ⌁✶

'스르르, 추적추적, 허둥지둥'은 모두 모양을 흉내 내는 말로, 어떤 말이 '내리다', '멈추다', '뛰쳐나오다'와 어울리는지 생각해 본다.

03 다음 문장의 빈칸에 들어가기에 알맞은 어휘를 찾아 연결하시오.

(1) 얼다가 만 비가 [   ] 내리었다.   •   • ㉠ 스르르

(2) 지나가던 자동차가 [   ] 멈추었다.   •   • ㉡ 추적추적

(3) 미스터 방은 일변 [   ] 버선발로   •   • ㉢ 허둥지둥
뛰쳐나왔다.

04 다음 문장을 읽고, 둘 중 알맞은 어휘를 고르시오.

한줄 Hint

맞춤법에 맞지 않거나 소리와 형태가 비슷하여 자주 헷갈리는 어휘를 구분하여 본다.

(1) 의원은 빙긋이 웃음을 ⎧ 띄고 ⎫ 말하였다.
　　　　　　　　　　　 ⎩ 띠고 ⎭

(2) 벼 담긴 키를 그냥 땅바닥에 ⎧ 털썩 ⎫ 떨어치며 나도 주저앉았다.
　　　　　　　　　　　　　　 ⎩ 털석 ⎭

(3) ⎧ 왠일인지 ⎫ 밭 반도 갈지 않아서, 온몸의 맥이 풀리고 대구 짜증만 난다.
　　⎩ 웬일인지 ⎭

05 다음 밑줄 친 '품'의 뜻으로 적절한 것은?

한줄 Hint

'논을 삶았다.'라는 것은 '논의 흙을 골라 땅을 부드럽게 만들었다.'라는 뜻이다.

> 그래 귀가 번쩍 뜨여서 그날로 일어나서 남이 이틀 품 들일 논을 혼자 삶어 놓으니까 장인님도 눈깔이 커다랗게 놀랐다.

㉠ 어떤 일에 드는 힘이나 수고.
㉡ 사람 된 바탕과 나고난 성품.
㉢ 두 팔을 벌려서 안을 때의 가슴.

06 다음 문장의 빈칸에 들어갈 알맞은 어휘를 골라 쓰시오.

한줄 Hint

제시된 어휘는 모두 「미스터 방」에 나온다.

궁리	피신	습격

(1) 백 주사는 서울로 [　　　] 하여 목숨만 우선 보전하였다.

(2) 백 주사는 어떻게 하면 빼앗긴 돈과 물건을 도로 다 찾을까 하고 [　　　] 하였다.

(3) 백선봉이 도망해 와 눕는 그날 밤, 그의 본집인 백 주사의 집을 [　　　] 하였다.

별별 사건

어휘로
마무리

07 다음 장면의 '나'를 가리키는 말로 한자 성어로 적절한 것은?

한줌 Hint ✦

점순이가 '나'를 보고 하는 말과 관련이 있다.

그럼 정말로 가을에 와서 혼인을 시켜 줘야 온 경우가 옳지 않겠나. 볏섬을 척척 들여쌓아도 다른 소리는 없고 물동이를 이고 들어오는 점순이를 담배통으로 가리키며,

"이 자식아, 미처 커야지. 조걸 데리구 무슨 혼인을 한다구 그러니, 온!"

하고 남 낯짝만 붉게 해 주고 고만이다.

㉠ 숙맥불변(菽麥不辨) – 세상 물정을 잘 모름.
㉡ 안하무인(眼下無人) – 방자하고 교만하여 다른 사람을 업신여김.
㉢ 낭중지추(囊中之錐) – 재능이 뛰어난 사람은 숨어 있어도 저절로 사람들에게 알려짐.

08 다음 빈칸에 알맞은 동물을 넣어 속담을 완성할 때, 빈칸에 들어갈 동물로 적절한 것끼리 묶인 것은?

한줌 Hint ✦

아이 때와 어른이 되었을 때의 모습이 전혀 다른 동물이다.

'흥, ☐☐☐☐ 가 ☐☐☐☐ 적을 못 생각한다더니, 발칙한 놈, 고얀 놈.'

백 주사는 생각하자니 속으로 이렇게 분개스럽지 않을 수가 없었다.

그러나 일변으로는, 그러던 코삐뚤이 삼복이가 그야말로 선영이 명당엘 들었단 말인지, 무슨 조화를 지녔단 말인지, 불과 몇 달 사이에 이렇게 훌륭히 되고, 부자가 되고, 미스터 방인지 구리다 방인지가 되고 하여 가지고는, 갖은 호강 다 하며 천하에 무서울 것이 없고, 기광이 나서 막 이러니, 한편 생각하면 신기하기도 하고 부럽기도 하고 또한 안타깝기도 하였다.

㉠ 장끼 – 까투리
㉡ 노가리 – 명태
㉢ 개구리 – 올챙이

별별

배경

01 **메밀꽃 필 무렵** _ 이효석

02 **만세전** _ 염상섭

03 **태평천하** _ 채만식

04 **님의 침묵** _ 한용운

05 **청포도** _ 이육사

별별 배경 어휘로 마무리

01

메밀꽃 필 무렵

이효석

인물 동이

젊은 장돌뱅이(장을 돌아다니면서 물건을 파는 장수.)로 우연히 허 생원과 동행하게 됨.

인물 조 선달

허 생원과 함께 장을 떠도는 장돌뱅이임.

인물 허 생원

떠돌이 생활을 하는 장돌뱅이로 외모에 자신이 없고 소심하고 내성적임. 젊은 시절 봉평에서 성 서방네 처녀와 단 한 번의 인연을 맺음.

배경 달밤, 메밀밭 옆 산길

소재 왼손잡이

허 생원은 동이의 이야기를 듣고 동이의 어머니가 성 서방네 처녀일지도 모른다고 생각함. 또한 동이가 자신과 같은 왼손잡이인 것을 보고 동이가 자신의 아들일 것이라고 생각함.

읽기 포인트 》 메밀꽃이 핀 여름 달밤, 허 생원과 조 선달, 동이가 다음 장이 열리는 곳으로 이동하고 있다. 배경이 조성하는 분위기 및 동이와 허 생원의 관계를 추측하며 읽어 보자.

#1 그렇다고는 하여도 꼭 한 번의 첫 일을 잊을 수는 없었다. 뒤에도 처음에도 없는 단 한 번의 <u>괴이한</u> 인연. 봉평에 다니기 시작한 젊은 시절의 일이었으나 그것
정상적이지 않고 별나며 괴상한.
을 생각할 적만은 그도 산 보람을 느꼈다.

"달밤이었으나 어떻게 해서 그렇게 됐는지 지금 생각해두 도무지 알 수 없어."

허 생원은 오늘 밤도 또 그 이야기를 끄집어내려는 것이다. 조 선달은 친구가 된 이래 귀에 못이 박히도록 들어 왔다. 그렇다고 싫증을 낼 수도 없었으나, 허 생원 은 <u>시치미를 떼고</u> 되풀이할 대로는 되풀이하고야 말았다.
자기가 하고도 아니한 체, 알고도 모르는 체하는 태도.
"✻ 달밤에는 그런 이야기가 <u>격에 맞거든</u>."
주위 환경이나 형편에 자연스럽게 어울리는 품위.
조 선달 편을 바라는 보았으나, 물론 미안해서가 아니라 달빛에 감동하여서였 다. 이지러는 졌으나 보름을 지난 달은 부드러운 빛을 흐붓이 흘리고 있다. 대화까
달의 한쪽이 차지는 않았으나.
지는 칠십 리의 밤길. 고개를 둘이나 넘고 개울을 하나 건너고 벌판과 산길을 걸어 야 된다. 길은 지금 긴 산허리에 걸려 있다. 밤중을 지난 무렵인지 죽은 듯이 고요 한 속에서 짐승 같은 달의 숨소리가 손에 잡힐 듯이 들리며, 콩 포기와 옥수수 잎 새가 한층 달에 푸르게 젖었다. 산허리는 온통 메밀밭이어서 피기 시작한 꽃이 소 금을 뿌린 듯이 흐붓한 달빛에 숨이 막힐 지경이다. 붉은 <u>대궁</u>이 향기같이 애잔하
줄기를 뜻하는 '대'의 강원도 방언.
고, 나귀들의 걸음도 시원하다. 길이 좁은 까닭에 세 사람은 나귀를 타고 외줄로 늘어섰다. 방울 소리가 시원스럽게 딸랑딸랑 메밀밭께로 흘러간다. 앞장선 허 생 원의 이야기 소리는 꽁무니에 선 동이에게는 <u>확적히는</u> 안 들렸으나, 그는 그대로
정확하게 맞아 조금도 틀리지 않게.
개운한 제멋에 적적하지는 않았다.

"장 선 꼭 이런 날 밤이었네. <u>객줏집</u> 토방이란 무더워서 잠이 들어야지. 밤중은
예전에 길 가는 나그네들이 쉬어 가던 곳.
돼서 혼자 일어나 개울가에 목욕하러 나갔지. 봉평은 지금이나 그제나 마찬가 지지. 보이는 곳마다 메밀밭이어서 개울가가 어디 없이 하얀 꽃이야. 돌밭에 벗 어도 좋을 것을 달이 너무도 밝은 까닭에 옷을 벗으러 물방앗간으로 들어가지 않았나. 이상한 일도 많지. 거기서 난데없는 성 서방네 처녀와 마주쳤단 말이네. 봉평서야 제일가는 <u>일색</u>이었지."
뛰어난 미인.
"팔자에 있었나 부지."

아무렴 하고 응답하면서 말머리를 아끼는 듯이 한참이나 담배를 빨 뿐이었다. 구수한 자줏빛 연기가 밤기운 속에 흘러서는 녹았다.

★ 별별 포인트 ★

〈 '달밤'의 역할 〉

달밤

- 서정적이고 낭만적인 분위기를 조성함.
- 허 생원이 성 서방네 처녀와의 추억을 회상하는 계기가 됨.
- 현재와 과거를 이어주는 매개체 역할을 함.

#1 핵심 태그

\# 　　　 에 만났던
성 서방네 처녀와의 추억을
이야기하는 허 생원

좁은 산길

• 세 사람이 외줄로 이동함.
• 동이는 허 생원의 이야기를 듣지 못하므로 자신과 허 생원과의 관계를 눈치채지 못함.

↓

큰길

• 세 사람이 나란히 이동함.
• 동이가 아버지가 없다는 사실을 허 생원과 조 선달이 알게 됨.

↓

개울

• 허 생원과 동이가 뒤로 처짐.
• 허 생원만 자신과 동이와의 관계를 눈치채게 됨.

#2 산길을 벗어나니 큰길로 틔어졌다. 꽁무니의 동이도 앞으로 나서 나귀들은 가로 늘어섰다.

"총각두 젊겠다, 지금이 한창 시절이렷다. 충줏집에서는 그만 실수를 해서 그 꼴이 되었으나 섧게 생각 말게."

"천, 천만에요. 되려 부끄러워요. 계집이란 지금 웬 제격인가요? 자나 깨나 어머니 생각뿐인데요."

허 생원의 이야기로 실심해한 끝이라 동이의 어조는 한풀 수그러진 것이었다.
근심 걱정으로 맥이 빠지고 마음이 산란해진.
"아비어미란 말에 가슴이 터지는 것도 같았으나 제겐 아버지가 없어요. 피붙이라고는 어머니 하나뿐인걸요." / "돌아가셨나?"

"당초부터 없어요." / "그런 법이 세상에."

생원과 선달이 야단스럽게 껄껄들 웃으니, 동이는 정색하고 우길 수밖에는 없었다.

"부끄러워서 말하지 않으려 했으나 정말예요. 제천 촌에서 달도 차지 않은 아이를 낳고 어머니는 집에서 쫓겨났죠. 우스운 이야기나, 그러기 때문에 지금까지 아버지 얼굴도 본 적 없고 있는 고장도 모르고 지내 와요."

고개 너머는 바로 개울이었다. 장마에 흘러 버린 널다리가 아직도 걸리지 않은 채로 있는 까닭에 벗고 건너야 되었다. 홑바지를 벗어 띠로 등에 얽어매고 반
널빤지를 깔아서 놓은 다리.
벌거숭이의 우스꽝스러운 꼴로 물속에 뛰어들었다. 금방 땀을 흘린 뒤였으나 밤물은 뼈를 찔렀다.

"그래, 대체 기르긴 누가 기르구?"

"어머니는 하는 수 없이 의부를 얻어 가서 술장사를 시작했죠. 술이 고주래서 의
어머니가 재혼함으로써 생긴 아버지.   술에 몹시 취하여 정신을 가누지 못하는 사람.
부라고 완전히 망나니예요. 철들어서부터 맞기 시작한 것이 하룬들 편한 날 있
언동이 몹시 막된 사람을 비난조로 이르는 말.
었을까? 어머니는 말리다가 차이고 맞고 칼부림을 당하곤 하니 집 꼴이 무어겠소. 열여덟 살 때 집을 뛰쳐나와서부터 이 짓이죠."

"총각 나이로는 무던하다고 생각했더니 듣고 보니 딱한 신세로군."
성질이 너그럽고 수더분하다고.
물은 깊어 허리까지 찼다. 속 물살도 어지간히 센 데다가 발에 차이는 돌멩이도 미끄러워 금시에 훌칠 듯하였다. 나귀와 조 선달은 재빨리 거의 건넜으나 동이는
물체가 바람 따위를 받아서 비스듬히 쏠릴.
허 생원을 붙드느라고 두 사람은 훨씬 떨어졌다.

"모친의 친정은 원래부터 제천이었던가?"

"웬걸요. 시원스리 말은 안 해 주나, 봉평이라는 것만은 들었죠."

"봉평? 그래, 그 아비 성은 무엇이구?"

"알 수 있나요? 도무지 듣지를 못했으니까." / "그, 그렇겠지."

하고 중얼거리며 흐려지는 눈을 까물까물하다가 허 생원은 경망하게도 발을 빗디
<u>의식이나 기억이 조금 희미해져서 정신이 자주 있는 둥 없는 둥 하다가.</u>
뎠다. 앞으로 고꾸라지기가 바쁘게 몸째 풍덩 빠져 버렸다. 허우적거릴수록 몸을
<u>잘못하여 디딜 자리가 아닌 다른 자리를 디뎠다.</u>
걷잡을 수 없어, 동이가 소리를 치며 가까이 왔을 때에는 벌써 퍽이나 흘렀었다.

옷째 쫄딱 젖으니 물에 젖은 개보다도 참혹한 꼴이었다. 동이는 물속에서 어른을

해깝게 업을 수 있었다. 젖었다고는 하여도 여윈 몸이라 장정 등에는 오히려 가벼
<u>'가볍게'의 방언.</u>   <u>젊고 기운이 좋은 남자.</u>
웠다.

#2 핵심 태그
동이의 이야기를 듣고 놀라
발을 헛디뎌 # _____ 에
빠지는 허 생원

#3 "이렇게까지 해서 안됐네. 내 오늘은 정신이 빠진 모양이야."

"염려하실 것 없어요." / "그래, 모친은 아비를 찾지는 않는 눈치지?"

"늘 한번 만나고 싶다고는 하는데요." / "지금 어디 계신가?"

"의부와도 갈라져서 제천에 있죠. 가을에는 봉평에 모셔 오려고 생각 중인데요.

이를 물고 벌면 이럭저럭 살아갈 수 있겠죠."

"아무렴, 기특한 생각이야, 가을이랬다?"

동이의 <u>탐탁한</u> 등어리가 뼈에 사무쳐 따뜻하다. 물을 다 건넜을 때에는 도리어
<u>모양이나 태도가 마음에 들어 만족한.</u>
서글픈 생각에 좀 더 업혔으면도 하였다.

"진종일 실수만 하니 웬일이오, 생원?"

조 선달은 바라보며 기어코 웃음이 터졌다.

"나귀야. 나귀 생각하다 실족을 했어. 말 안 했던가? 저 꼴에 제법 새끼를 얻었
<u>발을 헛디딤.</u>
단 말이지. 읍내 강릉집 <u>피마</u>에게 말일세. 귀를 쫑긋 세우고 달랑달랑 뛰는 것이
<u>다 자란 암말.</u>
나귀 새끼같이 귀여운 것이 있을까? 그것 보러 나는 일부러 읍내를 도는 때가

있다네." / "사람을 물에 빠치울 젠 딴은 대단한 나귀 새끼군."

허 생원은 젖은 옷을 웬만큼 짜서 입었다. 이가 덜덜 갈리고 가슴이 떨리며 몹시

도 추웠으나, 마음은 알 수 없이 둥실둥실 가벼웠다.

"주막까지 부지런히들 가세나. 뜰에 불을 피우고 훗훗이 쉬어. 나귀에겐 더운물
<u>약간 갑갑할 정도로 훈훈하고 덥게.</u>
을 끓여 주고. 내일 대화 장 보고는 제천이다."

"생원도 제천으로……?"

"오래간만에 가 보고 싶어. 동행하려나, 동이?"

나귀가 걷기 시작하였을 때 동이의 채찍은 왼손에 있었다. 오랫동안 <u>아둑시니</u>같이
<u>'어둑서니'의 방언. 멀쩡해 보이나 실제로는 보지 못하는 눈.</u>
눈이 어둡던 허 생원도 요번만은 동이의 ✖ 왼손잡이가 눈에 띄지 않을 수 없었다.

걸음도 해깝고 방울 소리가 밤 벌판에 한층 청청하게 울렸다.

달이 어지간히 기울어졌다.

★ 별별 포인트 ★

< '왼손잡이'의 의미 >

허 생원 ══ 동이
왼손잡이

→ 허 생원이 동이가 자신의 아들임을
확신하게 되는 계기가 됨.

#3 핵심 태그
_____ 인 동이를 보고
자신의 아들임을 확신하는
허 생원

작품 줄거리 요약하기

앞부분 줄거리

얼굴이 얽고 왼손잡이인 장돌뱅이 허 생원과 그의 오랜 친구 조 선달은 더운 여름 봉평장을 일찍 접고 대화장으로 가기로 한다.

허 생원은 봉평장 술집에서 자신이 마음에 두었던 충줏댁과 술을 먹고 있는 동이를 보고 질투심에 심하게 나무란다. 하지만 동이가 허 생원의 나귀가 위험에 빠진 것을 알려 준 일을 계기로 두 사람은 화해한다.

제시 장면 줄거리

허 생원, 조 선달, 동이 세 명은 대화장을 향해 함께 길을 떠난다. 달밤에 **1** ⬜⬜⬜ 이 핀 산길을 걸으며 허 생원은 젊은 시절에 봉평에서 만난 성 서방네 처녀와의 추억을 이야기한다.

개울을 건너면서 허 생원은 동이에게서 동이 어머니의 이야기를 듣는다. 허 생원은 동이가 자신의 **2** ⬜⬜ 일지도 모른다는 생각에 발을 헛디뎌 물에 빠진다.

동이의 등에 업혀 개울을 건넌 허 생원은 동이에게 따뜻한 혈육의 정을 느끼고 제천까지 동행하자고 제안한다. 그리고 동이가 자신과 같은 왼손잡이인 것을 발견한다.

오엑스 확인 문제

01 이 글에 대한 설명으로 맞으면 ○표, 틀리면 ✕표를 하시오.

인물 | 동이는 자신을 낳아 준 아버지가 누구인지 모른다. | ⬜

사건 | 동이의 이야기를 듣다가 놀란 허 생원은 개울에 빠진다. | ⬜

배경 | 허 생원, 조 선달, 동이 세 사람은 달이 비추는 밤길을 걷고 있다. | ⬜

소재 | '나귀'는 허 생원과 동일시되는 존재이다. | ⬜

02 이 글에 대한 설명으로 적절한 것은?

① 세 사람은 오래 전부터 함께 장터를 돌아다니던 관계이다.
② 허 생원과 성 서방네 처녀는 달밤마다 몰래 만나던 사이이다.
③ 동이의 의부는 동이를 마치 친자식처럼 아끼며 소중하게 키웠다.
④ 허 생원은 자신과 동이의 관계를 확인하기 위해 제천으로 가려고 한다.
⑤ 조 선달은 허 생원에게서 성 서방네 처녀와의 이야기를 처음으로 듣는다.

별별 포인트
03 '달밤'의 역할로 적절하지 <u>않은</u> 것은?

① 작품의 시간적 배경을 알려 준다.
② 현재와 과거를 이어 주는 매개체이다.
③ 낭만적이고 서정적인 분위기를 조성한다.
④ 인물들이 자신의 정체를 서로 숨기게 만든다.
⑤ 허 생원이 지난날의 추억을 떠올리게 되는 계기이다.

04 '허 생원'이 개울에 빠진 이유로 적절한 것은?

① 동이에게 업히면 개울을 편하게 건너갈 수 있으므로
② 앞서가는 조 선달과 동이를 따라잡으려고 빨리 건너다가
③ 물살이 센 깊은 물을 다른 사람의 도움 없이 혼자 건너다가
④ 조 선달의 이야기를 재미있게 듣다가 그만 정신을 놓치는 바람에
⑤ 동이가 자신의 아들일지도 모른다는 생각을 하다가 발을 헛디뎌서

05 보기의 설명과 관련된 소재를 #4에서 찾아 쓰시오.

> 보기 허 생원이 동이가 자신의 아들이라고 확신하는 계기가 된다.

06 이 글에서 '허 생원'과 '성 서방네 처녀'를 비유한 말로 적절한 것은?

① 나귀 – 피마
② 벌판 – 산길
③ 놈팽이 – 일색
④ 달빛 – 메밀밭
⑤ 망나니 – 아둑시니

07 다음과 같은 상황을 설정함으로써 얻을 수 있는 효과로 가장 적절한 것은?

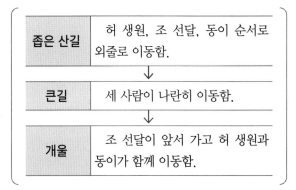

좁은 산길	허 생원, 조 선달, 동이 순서로 외줄로 이동함.
큰길	세 사람이 나란히 이동함.
개울	조 선달이 앞서 가고 허 생원과 동이가 함께 이동함.

① 허 생원과 동이의 갈등을 예고한다.
② 가족이 없는 조 선달의 외로움을 보여 준다.
③ 끝없이 걸어야 하는 등장인물들의 고달픈 삶을 상징한다.
④ 세 사람이 결국엔 모두 다른 길을 걷게 될 것임을 암시한다.
⑤ 동이가 허 생원의 과거 이야기를 듣지 못하게 하여 결말의 긴장감을 높인다.

08 다음은 이 글의 결말 부분이다. 이에 대한 설명으로 적절하지 않은 것은?

> 걸음도 해깝고 방울 소리가 밤 벌판에 한층 청청하게 울렸다.
> 달이 어지간히 기울어졌다.

① 허 생원의 기대감과 설렘을 드러낸다.
② 작품의 분위기를 강조하며 마무리한다.
③ 인물들에게 남아 있는 고난을 알려 준다.
④ 시각과 청각적 이미지로 배경을 묘사한다.
⑤ 독자가 뒷부분을 상상하도록 여운을 남긴다.

73

02

만세전

염상섭

인물 '나'(이인화)
동경에서 유학 중 아내가
위독하다는 소식을 듣고 서울로
오던 중, 조선의 비참한 현실을
목격함. 결국 아내가 죽지만
눈물도 흘리지 않고 다시
동경으로 돌아감.

배경 부산에서 서울로 가는 기차 안
사건 조선 사람들의 비참한 얼굴을 봄.
'나'는 주눅이 든 젊은 사람들의 얼굴과
비참한 조선 사람들의 얼굴을 보며
마음속으로 조선을 '무덤'이라고 외침.

배경 일본에서 부산으로 가는 배 안
사건 일본인들의 대화를 엿들음.
소재 생번, 요보, 쿠리
'나'는 조선인들을 멸시하고, 조선인들을 속여
노동자로 모집하는 일에 대한 일본인들의 대화를
듣고 놀람.

배경 일본 동경 → 조선 서울 → 일본 동경
'나'는 일본 동경 → 일본 하관 → 배 안 → 부산 →
김천 → 대전역 → 서울까지 여행하면서 조선의
암울하고 비참한 현실을 직접 체험하거나 목격함.

읽기 포인트 ≫ 일본에서 부산으로 가는 배 안에서 '나'가 일본 사람들의 대화를 엿듣고 있다. '나'가 그들의 대화를 듣고 왜 울분을 느끼는지, 당시 조선의 현실은 어떠했는지 파악하며 읽어 보자.

#1 "그러나 조선 사람들은 어때요?"

"요보 말씀이에요? 젊은 놈들은 그래도 제법들이지마는, 촌에 들어가면 대만의
_{일본인이 한국인을 낮춰 부르던 말.}
생번보다는 낫다면 나을까. 인제 가서 보슈……. 하하하."
_{대만의 종족 가운데 야생적인 생활을 하는 번족을 일본인이 부르던 이름.}

'대만의 생번'이란 말에, 그 목욕탕에 들어앉았던 사람들이, 나만 빼놓고는 모

두 킥킥 웃었다. 나는 가만히 앉았다가, 무심코 입술을 악물고 쳐다보았으나, 더

운 김에 가려서, 궐자들에게는 자세히 보이지 않은 모양이었다.
_{'그'를 낮잡아 이르는 말.}

사실 말이지, 나는 그 소위 우국지사는 아니다. 자기가 망국 민족의 일분자라는
_{나랏일을 걱정하고 염려하는 사람.} _{어떤 조직을 이루는 무리 속의 한 구성원.}

사실은 자기도 간혹은 명료히 의식하는 바요, 따라서 고통을 참는 때가 없는 것은

아니나, 이때껏 망국 민족의 일분자가 된 지 벌써 칠 년 동안이나 되는 오늘날까지

는, 사실 무관심으로 지냈고, 또 주변이 그러하게, 나에게는 관대하게 내버려 두

었었다. 도리어 소학교 시대에는, 일본 교사와 충돌을 하여 퇴학을 하고, 사립 학
_{'초등학교'의 전 용어.}

교로 전학을 한다는 둥, 순결한 어린 마음에 애국심이 비교적 열렬하였지만, 차차

지각이 나자마자 동경으로 건너간 뒤에는, 간혹 심사 틀리는 일을 당하거나, 1년
_{감정이나 심리 상태가 나빠지는.}

에 한 번씩 귀국하는 길에, 하관에서나 부산·경성에서 조사를 당할 때에는 귀찮
_{일본의 '시모노세키'를 지칭하는 지명.}

기도 하고 분하기도 하지만 그때뿐이요, 그리 적개심이나 반항심을 일으킬 기회

가 적었었다. 적개심이나 반항심이란 것은 압박과 학대에 정비례하는 것이요, 또

한 활로를 얻는 유일한 수단이다. 그러나 칠 년이나 가까이 동경에 있는 동안에,
_{곤란을 헤치고 살아 나갈 수 있는 길.}

경찰관 이외에는 나에게 그다지 민족 관념을 굳게 의식하게 하지 않았을 뿐 아니

라, 원래 정치 문제에 대해 무취미한 나는, 이때껏 별로 그런 문제로 머리를 썩여

본 일이 전혀 없었다. 그러나 일 년 이 년 세월이 갈수록, 나의 신경은 점점 흥분해

가지 않을 수가 없었다. 이것을 보면 적개심이라든지 반항심이라는 것은, 보통 경

우에 자동적, 이지적이라는 것보다는 피동적, 감정적으로 유발되는 것이다. 다시
_{이성과 지혜로써 행동하거나 판단하는 것.}

말하면 일본 사람은, 소소한 언사와 행동으로 말미암아, 조선 사람의 억제할

수 없는 반감을 일어나게 한다. 그러나 그것은 결국 조선 사람으로 하여금 민족적

타락에서 스스로 구해야겠다는 자각을 주는 꼭 필요한 원동력이 될 뿐이다.

지금도 목욕탕 속에서 듣는 말마다 귀에 거슬리지 않는 것이 없지만, 독한 약이

입에는 쓰나 병을 낫게 하므로, 될 수 있으면 많은 조선 사람이 듣고, 오랜 몽유병

에서 깨어날 기회를 주었으면 하는 생각이 없지 않다.

★ 별별 포인트 ★

< '나'의 현실 인식 변화 >

소학교 시대
애국심이 비교적 열렬하였음.

↓

동경 유학 중
• 일제의 지배를 받는 민족의 현실에 무감각해짐.
• 일제에 대해 무기력하고 소극적인 태도를 보임.

↓

부산으로 가는 배 안
조선인을 비하하는 일본인들의 태도에 적개심과 반항심이 생김.

#1 핵심 태그
조선 사람을 #〇〇〇라 부르며 무시하는 일본인의 말에 적개심과 반항심이 생기는 '나'

★ 별별 포인트 ★

< 작품에 나타난 조선의 현실 >

작품 속 표현
• '생번', '요보'
• '도처에 순사요 헌병인데'

⇩

조선의 현실
• 조선인을 멸시하는 일본인이 있었음.
• 일제의 통제와 억압이 심했음.

#2 그들은 여전히 이야기를 계속하고 있다.

"그래 촌에 들어가면 위험하진 않은가요?"

처음 간다는 시골자가 또다시 입을 벌렸다.

"뭘요, 어딜 가든지 조금도 염려 없쇠다. 생번이라 해도, 요보는 온순한 데다가, 도처에 순사요 헌병인데, 손 하나 꼼짝할 수 있나요. 그걸 보면 데라우치상 일제 강점기에 둔 경찰관의 낮은 계급. 지금의 순경.   조선 총독부의 초대 총독. 이 참 손아귀 힘도 세지만 인물은 인물이야!" / 매우 감격한 모양이다.

"그래 촌에 들어가서 할 게 뭐예요?"

"할 것이야 많지요. 어딜 가기로 굶어 죽을 염려는 없지만, 요새 돈 모을 것이 똑하나 있지요. 자본 없이 힘 안 들고…… . 하하하." / "그런 벌이가 어디 있어요?"

촌뜨기 선생은 그 큰 눈을 더 둥그렇게 뜨고, 일종의 기대와 호기심을 가지고 마 '촌사람'을 낮잡아 이르는 말. 주 쳐다보는 모양이다. / "왜요, 한번 해 보시려우?"

그는 이렇게 한마디 충동이며, 무슨 의미나 있는 듯이 그 악독해 보이는 얼굴에 교활한 웃음을 띠고 한참 마주보다가,

"시골서 죽도록 땅이나 파먹다가 거꾸러지는 것보다는 편하고 재미있습니다. …… 게다가 돈을 쓰고 싶은 대로 쓸 수 있고…… ."

여전히 뱅글뱅글 웃으면서, 이 순박한 어머니 배 속에서 그대로 나온 듯한 촌뜨기를 꾄다. / "그런 선반에서 떨어지는 떡 같은 장사가 있으면 하다뿐이겠소."

촌뜨기는 차차 침이 말라 온다.

"그러나 밑천이 아주 안 드는 것은 아니지요. …… 우선 얼마 안 되지만 보증금 어떤 일을 하는 데 바탕이 되는 돈이나 물건 등. 을 들여놓아야 하고, 양복이나 한 벌 장만하여야 할 터이니까…… . 그러나 노형이야, 형님이 헌병대에 계시다니까 신분은 염려 없을 터인 고로 보증금은 없어도 좋겠지."

제 딴은 누구나 그 직업을 얻으려면, 보증금을 내놓는 법인데, 특별히 그것만은 면제해 주겠다는 듯이, 오만한 태도로 어깨를 뒤틀며, 지나가는 말처럼 또 한마디 했다. 그러나 정작 그 직업의 종류가 무엇인가는 쉽게 가르쳐 주지 않는다.

#3 "그래 그런 훌륭한 직업이 무엇인데, 어디 있어요?"

이번에는 그 시골자의 동행인 듯한 사람이 가만히 듣고 있다가 탕에서 시뻘겋게 단 몸뚱어리를 무거운 듯이 끌어내며 물었다. 그자도 물속에서 불쑥 일어서서 수건을 등 뒤로 넘겨서 가로잡고 문지르며, 한 번 목욕탕 속을 휘 돌아다보고, 다른 사람들이 자기네의 대화에는 무심히 한구석에 앉아 있는 것을 살펴본 뒤에, 안심한 듯이 비로소 목소리를 낮추며 입을 벌렸다.

"실상은 쉬운 일이에요. 나두 이번에 가서 해 오면 세 번째나 되오마는, 내지의
각 회사와 연락해 가지고, 요보들을 붙들어 오는 것인데……. 즉 조선 쿠리 말
씀요. 노동자요. 그런데 그것은 대개 경상남북도나, 그렇지 않으면 함경, 강원,
그다음에는 평안도에서 모집을 해야 하지만, 그중에도 경상남도가 제일 쉽습니
다. 하하하." / 그자는 여기 와서 말을 끊고 교활한 듯이 웃어 버렸다.

나는 여기까지 듣고 깜짝 놀랐다. 그 가련한 조선 노동자들이 속아서, 지상의 지
옥 같은 일본 각지의 공장으로 몸이 팔리어 가는 것이, 모두 이런 도적놈 같은 협
잡 부랑배의 술수에 빠져서 그러는구나 하는 생각을 할 때, 나는 다시 한번 그자
의 상판대기를 쳐다보지 않을 수 없었다.

'옳지! 그래서 이자의 형이 헌병 군조라는 것을 듣고 이용할 작정으로 이러는 게
로군!' / 나는 이런 생각도 하여 보며 가만히 귀를 기울이고 앉았었다.

#3 핵심 태그
조선 # 들이 속아서
일본 공장에 팔려 가는
이야기를 듣고 놀라는 '나'

#4 정거장 문밖으로 나서서 눈을 바삭바삭 밟으며 큰길 거리로 나가니까 칠 년
전에 일본으로 도망갈 때, 정오에 대전에 내려서 점심을 사 먹던 집이 어디인지 방
면도 알 수가 없었다. 길 맞은편으로 쭉 늘어선 것은 컴컴해서 자세히는 안 보이나
일본 사람 집인 모양이었다. '야과온포'를 파는 수레가 적막한 밤을 깨뜨리며 호젓
하고 처량하게 쩌렁쩌렁 방울을 흔드는 것을 한참 바라보고 섰다가, 그때에 밥을
팔던 삼십 남짓한 객줏집 계집은 지금쯤 어디 가서 파묻혔누? 하는 생각을 하며
다시 정거장 구내로 들어왔다.

발자국 하나 말 한마디 제격 소리도 없이 얼어붙은 듯이 앉아 있는 승객들은, 웅
숭그려뜨리고 들어오는 나의 얼굴을 쳐다보며 여전히 오그라뜨리고 앉아 있다. 결
박을 지은 계집은 업은 아이가 깨어서 보채니까 일어서서 서성거린다.

'젖이나 먹이라고 좀 풀어 줄 일이지?' / 하는 생각을 하니 곁에 시퍼렇게 얼어서
앉은 순사가 불쌍하다가도 밉살맞다. 울타리 안으로 들어오며 건너다보니까 차장
실 속에 있던 두 청년과 헌병도 여전히 이야기를 하고 섰는 것이 보인다. 나는 까
닭 없이 처량한 생각이 가슴에 복받쳐 오르면서 몸이 한층 더 부르르 떨렸다. 모든
기억이 꿈같고 눈에 띄는 것마다 가엾어 보였다. 눈물이 스며 나올 것 같았다. 나
는, 승강대로 올라서며, 속에서 분노가 치밀어 올라와서 이렇게 부르짖었다.

'이것이 생활이라는 것인가? 모두 뒈져 버려라!'

찻간 안으로 들어오며, / ✷'무덤이다! 구더기가 끓는 무덤이다!'
라고 나는 지긋지긋한 듯이 입술을 악물어 보았다.

★ 별별 포인트 ★

< '무덤'의 상징성 >

무덤

• 일제의 강점으로 인한 조선의
비참한 현실
• 억압된 분위기 속에서 저항하지
못하며 살아가는 조선인의 모습

#4 핵심 태그
정거장에서 조선의 현실을 보고
분노하며 조선을 #
이라고 속으로 외치는 '나'

작품 줄거리 요약하기

앞부분 줄거리

삼일 만세 운동이 일어나기 전 겨울, 동경에서 유학 중이던 '나'는 기말시험을 치르던 중, 아내가 위독하다는 전보를 받고 귀국 준비를 한다.

'나'는 단골 술집에 들러 애인인 정자를 만나기도 하고, 카페에 가기도 하고, 음악 학교 여학생도 만나면서 답답한 마음을 드러내며 늑장을 부리다 귀국길에 오른다.

제시 장면 줄거리

나는 부산으로 가는 배 안의 **1** ☐☐☐ 에서 조선인을 무시하고, 조선인 노동자들을 매매하는 일을 하는 일본인들의 대화를 듣고 울분을 느끼게 된다.

서울로 가는 기차를 탄 '나'는 기차 안에서 조선의 비참한 현실과 무기력하게 살고 있는 조선인들을 보게 된다. '나'는 조선이 구더기가 끓는 **2** ☐☐ 같다고 느끼며 분노하고 안타까워한다.

뒷부분 줄거리

서울 집에 도착한 지 얼마 뒤에 아내가 죽지만 '나'는 슬퍼하지 않는다. '나'는 자신부터 새로운 삶을 살아야겠다고 다짐하며, 구더기가 들끓는 무덤과 같은 조선을 도망치듯 떠나 동경으로 향한다.

오엑스 확인 문제

01 이 글에 대한 설명으로 맞으면 ○표, 틀리면 ×표를 하시오.

인물 | '나'는 조선 사람이다. | ☐

사건 | '나'는 배 안에서 일본인들과 대화를 나누고 있다. | ☐

배경 | '나'는 일본에서 조선으로 가고 있다. | ☐

소재 | '나'는 조선의 현실을 '무덤'이라고 표현한다. | ☐

02 이 글을 통해 알 수 <u>없는</u> 것은?

① '나'는 기차를 타고 가며 조선의 현실을 직면하였다.
② 일본에 나라를 빼앗긴 지 칠 년 정도의 세월이 흘렀다.
③ '나'는 일제에 복수할 날만 기다리며 고통을 참고 있다.
④ 배 안에 있던 '그자'는 '시골자'를 이용할 생각으로 접근하였다.
⑤ '대만의 생번'을 통하여 조선인을 얕보는 일본인의 태도를 짐작할 수 있다.

03 별별 포인트!☆ '나'에 대한 설명으로 적절하지 <u>않은</u> 것은?

① 스스로를 우국지사라고 여기고 있다.
② 소학교 시절에는 애국심이 비교적 강했다.
③ 동경에서 유학하면서 자주 조사를 받았다.
④ 배 안 목욕탕에서 일본인의 대화를 엿듣고 있다.
⑤ 조국이 식민지가 되었다는 사실을 인식하고 있다.

04 이 글의 시대적 배경을 알려 주는 말이 <u>아닌</u> 것은?

① 순사　　② 요보　　③ 생번

④ 노동자　⑤ 조선 쿠리

별별 포인트!☆

05 이 글에 나타난 당시 조선의 현실로 적절하지 <u>않</u>은 것은?

① 조선에 대한 일제의 억압이 심하였다.

② 조선인을 업신여기거나 깔보는 일본인이 있었다.

③ 조선인을 이용하여 이득을 취하는 일본인이 있었다.

④ 조선인에게 속아 일본으로 팔려 가는 조선인이 있었다.

⑤ 일제는 조선에 순사와 헌병을 두고 무단 통치를 하였다.

06 #3의 내용 중 다음 밑줄 친 부분에 나타난 '나'의 심리로 가장 적절한 것은?

> 　그 가련한 조선 노동자들이 속아서, 지상의 지옥 같은 일본 각지의 공장으로 몸이 팔리어 가는 것이, 모두 이런 도적놈 같은 협잡 부랑배의 술수에 빠져서 그러는구나 하는 생각을 할 때, 나는 다시 한번 <u>그자의 상판대기를 쳐다보지 않을 수 없었다.</u>

① 노여움　② 아쉬움　③ 반가움

④ 두려움　⑤ 시새움

[07~08] 다음 글을 읽고 물음에 답하시오.

　작가 염상섭은 일본에서 유학하던 지식인으로, 삼일 운동에 가담하였다는 혐의로 옥에 갇혔다가 풀려난다. 그는 '1919년 삼일 운동이 일어나기 전'이라는 의미로 「만세전」을 쓴다. 원래 「만세전」의 제목은 '묘지'였다. 일제 강점기라는 의식 없이 생존에만 급급한 민중, 자신의 가문 지키기에만 열중하는 전근대적인 의식, 현실을 타개하려는 노력 없이 무기력하게 살아가는 젊은이들로 가득한 조선의 모습이 마치 　　　㉠　　　 과도 같았기 때문이다. 염상섭은 지식인의 눈에 비친 이러한 조선의 현실을 객관적이고 사실적으로 그려 내고 있다.

별별 포인트!☆

07 ㉠에 들어갈 소재를 #4에서 찾아 한 단어로 쓰시오.

_____

08 이 글을 감상한 내용으로 적절하지 <u>않</u>은 것은?

① '나'는 작가 염상섭의 의식을 드러내는군.

② 일본이 조선을 침략한 일을 미화하고 있군.

③ 원래 제목인 '묘지'는 조선의 비참한 상황을 비유하는군.

④ 지식인의 눈으로 조선의 상황을 있는 그대로 그려 내고 있군.

⑤ 제목으로 보아 이 글의 배경은 삼일 운동이 일어나기 전이군.

8문제 중에 _____ 문제 맞혔어!

03

태평천하

채만식

윤용규

인물 윤 직원 영감(윤두섭)

별명은 윤두꺼비. 서울의 대지주이자 구두쇠. 불한당으로부터 지켜 주어 일본에 감사해하고, 사회주의를 불한당보다 나쁘다고 여김.

인물 윤 주사(윤창식)

윤 직원 영감의 아들. 노름으로 집안의 재산을 날려 먹는 인물임.

서울 아씨

윤태식

배경 1930년대 일제 강점기, 서울

사건 '윤종학'이 사회주의를 하다 잡혀감.

소재 전보

일본에서 유학 중이던 윤종학이 사회주의를 하다 잡혀갔다는 전보를 듣고 윤 직원 영감은 크게 분노함.

인물 윤종수

윤 직원 영감의 첫째 손자. 아버지와 마찬가지로 방탕한 생활을 함.

인물 윤종학

윤 직원 영감의 둘째 손자. 일본에서 유학 중으로, 윤 직원 영감의 기대를 받고 있음.

15. ✸ 망진자(亡秦者)는 호야(胡也)니라

#1 일찍이 윤 직원 영감은, 그의 소싯적 윤 두꺼비 시절에, 자기 부친 말대가리 윤용규가 화적의 손에 무참히 맞아 죽은 시체 옆에 서서, 곡식이 불타느라고 불꽃
〈불한당: 떼를 지어 돌아다니며 재물을 마구 빼앗는 사람들의 무리.〉
이 솟아오르는 하늘을 우러러,

"이놈의 세상, 언제나 망하려느냐?"

"우리만 빼놓고 어서 망해라!"

하고 부르짖은 적이 있겠다요.

이미 반세기 전, 그리고 그것은 당시의 나한테 불리한 세상에 대한 격분된 저주요, 겸하여 웅장한 투쟁의 선언이었습니다.
〈규모가 거대하고 성장한.〉
해서 윤 직원 영감은 과연 승리를 했겠다요. 그런데…….

식구들은 시아버지 윤 직원 영감이 보기가 싫은 고 씨만 빼놓고, 서울 아씨, 태식이, 뒤채의 두 동서, 모두 안방에 모여 종수를 맞이하는 예를 표하고, 그들의 옹위 아래 윤 직원 영감과 종수는 각기 아랫목과 뒷벽 앞으로 갈라 앉았습니다. 방
〈주위를 둘러쌈.〉
금 점심 밥상을 받을 참입니다. / "너 경손 애비, 부디 정신 채리라……!"

윤 직원 영감이 종수더러 곰곰이 훈계를 하던 것입니다. 안식구가 있는 데라 점
〈타일러서 잘못이 없도록 주의를 줌. 또는 그런 말.〉
잖게 경손 애비지요.

"……정신을 채리야 헐 것이 늬가 암만히여두 네 아우 종학이만 못히여! 종학이는 그놈이 재주두 있고, 착실히여서, 너처럼 허랑허지두 않고 그럴뿐더러 내년
〈언행이 헛되어 미덥지 못하고 착실하지 못하지도.〉
내후년이머넌 대학교를 졸업허잖냐? 내후년이지?" / "네."

"그렇지? 응, 그래, 내후년이면 대학교 졸업을 허구 나와서, 삼 년이나 기껏 사년만 찌들어 나머넌 그놈은 지가 목적헌, 요새 그 목적이란 소리 잘 쓰더구나, 응? 목적……. 목적헌 경찰이 되야 각구서, 경찰서장이 된담 말이다! 응? 알겄어." / "네."

"그러닝개루 너두 정신을 바싹 채리 갖구서, 어서어서 군수가 되야야 않겄냐? …… 아, 동생 놈은 버젓한 경찰서장인디, 형 놈은 겨우 군 서기를 댕기구 있담! 남부끄러서 어쩔 티여? 응? …… 아 글씨, 군수 되구 경찰서장 되구 허머넌, 느덜 좋구 느덜 호강이지, 머 그 호강 날 주냐? 내가 이렇기 아등아등 잔소리를 허넌 것두 다 느덜 위하여서 그러지, 나는 파리 족통만치두 상관읎어야! 알아듣냐?"

#2 "해가 서쪽에서 뜨겠구나?" / 윤 직원 영감이 아들의 이렇듯 부르지도 않은 걸음을, 더욱이나 안방에까지 들어온 것을 이상타고 꼬집는 소립니다.

"……멋허러 오냐? 돈 달래러 오지?" / "동경서 전보가 왔는데요……."
_{전기 통신을 이용한 통보.}

지체를 바꾸어, 윤 주사를 점잖고 너그러운 아버지로, 윤 직원 영감을 속 사납고
_{어떤 집안이나 개인이 사회에서 차지하고 있는 신분이나 지위.}
경망스러운 어린 아들로, 돌려놓았으면 꼬옥 맞겠습니다. / "동경서? 전보?"

"종학이 놈이 경시청에 붙잽혔다구요!" / "으엉?"

외치는 소리도 컸거니와 엉덩이를 꿍 찧는 바람에 하마 방구들이 내려앉을 뻔했
_{불 기운이 방 밑을 통과하여 방을 덥히는 장치.}
습니다. 모여 선 온 식구가 제가끔 정도에 따라 제각기 놀란 것은 물론이구요.

윤 직원 영감은 마치 묵직한 몽둥이로 뒤통수를 얻어맞은 양, 정신이 멍해서 입을 벌리고 눈만 휘둥그랬지, 한동안 말을 못 하고 꼼짝도 않습니다.

그러다가 이윽고 으르렁거리면서 잔뜩 쪼글트리고 앉습니다.

"거, 웬 소리냐? 으응? 으응?……거 웬 소리여? 으응? 으응?"

"그놈 동무가 친 전본가 본데, 전보가 돼서 자세히는 모르겠습니다."

윤 주사는 조끼 호주머니에서 간밤의 그 전보를 꺼내어 부친한테 올립니다. 윤 직원 영감은 채듯 전보를 받아 쓰윽 들여다보더니 커다랗게 읽습니다. 물론 원문은 일본어니까 몰라보고, 윤 주사네 서사 민 서방이 번역한 그대로지요.
_{남을 대신하여 글씨나 글을 쓰는 일을 직업으로 하는 사람.}

"종학, 사—상 관계—로, 경—시청에 피검!…… 이라니? 이게 무슨 소리다냐?"
_{수사 기관에 잡혀감.}

"종학이가 사상 관계로 경시청에 붙잽혔다는 뜻일 테지요!"

"사상 관계라니?" / "그놈이 사회주의에 참예를……"

"으엉?" / 아까보다 더 크게 외치면서, 벌떡 뒤로 나동그라질 뻔하다가 겨우 몸을 가눕니다.

윤 직원 영감은 먼저에는 몽둥이로 뒤통수를 얻어맞은 것같이 멍했지만, 이번에는 앉아 있는 땅이 지함을 해서 수천 길 밑으로 꺼져 내려가는 듯 정신이 아찔했습
_{땅이 움푹 가라앉아 꺼짐.}
니다.

그러나 그것은 결단코 자기가 믿고 사랑하고 하는 종학이의 신상을 여겨서가 아닙니다. / 윤 직원 영감은 시방 종학이가 사회주의를 한다는 그 한 가지 사실이 진실로 옛날의 드세던 불한당패가 백 길 천 길로 침노하는 그것보다도 더 분하고,
_{남의 나라를 불법으로 쳐들어가거나 쳐들어옴.}
무서웠던 것입니다.

진(秦)나라를 망할 자, 호(胡)라는 예언을 듣고서, 변방을 막으려 만리장성을 쌓던
_{나라의 경계가 되는 변두리 땅.}
진시황, 그는 진나라를 망한 자, 호가 아니요, 그의 자식 호해(胡亥)임을 눈으로 보지 못하고 죽었으니, 오히려 행복이라 하겠습니다.

#2 핵심 태그
윤종학이 사상 관계로 경시청에 붙잡혔다는 #　　　　를 받고 놀라는 윤 직원 영감

#3 "사회주의라니? 으응? 으응?……" / 윤 직원 영감은 사뭇 사람을 아무나 하

나 잡아먹을 듯, 집이 떠나게 큰 소리로 포효를 합니다.

사나운 짐승이 울부짖음. 또는 그 울부짖는 소리.

"……으응? 그놈이 사회주의를 하다니! 으응? 그게, 참말이냐? 참말이여?"

"허긴 그놈이 작년 여름 방학에 나왔을 때버틈 그런 기미가 좀 뵈긴 했어요!"

어떤 일을 알아차릴 수 있는 눈치.

"그러머넌 참말이구나! 그러머넌 참말이여, 으응!……."

윤 직원 영감은 이마로 얼굴로 땀이 방울방울 배어 오릅니다.

"……그런 쳐 죽일 놈이, 깎어 죽여두 아깝잖을 놈이! 그놈이 경찰서장 허라닝개

루, 생판 사회주의 허다가 뎁다 경찰에 잽혀? 으응?…… 오사육시를 할 놈이,

죽은 시체에 다시 목을 베는 형벌을 가한다는 뜻으로, 몹시 저주하는 말.

그 놈이 그게 어디 당헌 것이라구 지가 사회주의를 히여? 부자 놈의 자식이 무

엇이 대껴서 불한당패에 들어?……."

어떤 일에 많이 시달려서.

아무도 숨도 크게 쉬지 못하고, 고개를 떨어뜨리고 섰기 아니면 앉았을 뿐, 윤

직원 영감이 잠깐 말을 그치자 방 안은 물을 친 듯이 조용합니다.

"……오죽이나 좋은 세상이여? 오죽이나……." / 윤 직원 영감은 팔을 부르걷은

주먹으로 방바닥을 땅 치면서 성난 황소가 영각을 하듯 고함을 지릅니다.

소가 길게 우는 소리.

"화적패가 있너냐아? 불한당 같은 수령들이 있더냐?…… 재산이 있대야 도적

놈의 것이요, 목숨은 파리 목숨 같던 말세넌 다 지내가고오…… 자 부아라, 거

리거리 순사요, 골골마다 공명헌 정사, 오죽이나 좋은 세상이여…… 남은 수십

정치 또는 행정상의 일.

만 명 동병을 히여서, 우리 조선 놈 보호히여 주니, 오죽이나 고마운 세상이여?

군사를 일으킴.

으응?…… 제 것 지니고 앉어서 편안허게 살 태평 세상, 이걸 ✵태평천하라구

하는 것이여, 태평천하!…… 그런데 이런 태평천하에 태어난 부자 놈의 자식이,

태평스럽고 편안한 세상.

더군다나 왜지 가 떵떵거리구 편안허게 살 것이지, 어찌서 지가 세상 망쳐 놀 불

한당패에 참섭을 헌담 말이여, 으응?"

어떤 일에 끼어들어 간섭함.

땅 방바닥을 치면서 벌떡 일어섭니다. 그 몸짓이 어떻게도 요란스럽고 괄괄한

성질이 세고 급한지.

지, 방금 발광이 되는가 싶습니다. 아닌 게 아니라 모여 선 가권들은 방바닥 치는

어떤 행동을 격하게 함을 낮잡아 이르는 말.　　　　　　호주나 세대주에 딸린 식구.

소리에도 놀랐지만, 이 어른이 혹시 상성이 되지나 않는가 하는 의구의 빛이 눈에

본래의 성질을 잃어버리고 전혀 다른 사람처럼 됨.

나타남을 가리지 못합니다.

"……착착 깎어 죽일 놈……! 그놈을 내가 핀지히여셔, 백 년 징역을 살리라구

헐걸! 백 년 징역 살리라구 헐 테여……. 오냐, 그놈을 삼천 석 거리는 직분하여

가족이나 친척에게 재산을 분배하여.

줄라구 히였더니, 오―냐, 그놈 삼천 석 거리를 톡톡 팔어서, 경찰서다가, 사

회주의 허는 놈 잡어 가두는 경찰서다가 주어 버릴걸! 죽일 놈!"

마지막의 으응 죽일 놈 소리는 차라리 울음소리에 가깝습니다.

★ 별별 포인트 ★

< '태평천하'의 의미 >

일제 강점기 → 일반 민중 → 고통스러운 시기 / 윤 직원 영감 → 태평천하 같은 시기

➡ '태평천하'를 제목으로 사용하여 윤 직원의 잘못된 역사의식을 반어적으로 풍자함.

#3 핵심 태그

태평천하에 #［　　　］ 운동에 참여하였다며 윤종학에게 분노하는 윤 직원 영감

작품 줄거리 요약하기

윤 직원 영감은 서울의 대지주로 큰 부자이지만 매우 인색하다. 인력거를 타고서는 값을 깎기 위해 인력거꾼과 실랑이를 하고, 어린 기생을 데리고 다니면서도 아무 것도 주지 않으려고 한다.

윤 직원은 자신의 아버지가 구한말 시절에 화적패의 습격을 받아 죽었던 일을 떠올리며 일본이 불한당을 막아 준다고 생각한다. 그는 진심으로 일본인들에게 고맙게 생각하며 일본에 적극적으로 협력하여 부를 쌓으려 한다.

윤 직원의 아들인 윤창식은 노름으로 밤을 새며 집안의 재산을 마구 없애고, 군수가 되기를 바랐던 맏손자 윤종수 역시 방탕한 생활에 빠져 많은 돈을 날린다.

윤 직원은 경찰서장이 될 것이라며 가장 기대를 걸었던 둘째 손자 윤종학이 일본 유학 중 사회주의 운동에 참여한 일로 경시청에 피검되었다는 **1** ◻◻◻ 를 받게 된다. 그는 **2** ◻◻◻◻ 같이 좋은 시대에 종학이가 왜 사회주의 운동에 참여하였는지 이해할 수 없다며 크게 분노한다.

01 이 글에 대한 설명으로 맞으면 ○표, 틀리면 ✕표를 하시오.

인물 윤종학은 윤 직원 영감의 아들이다. ◻

사건 윤 직원 영감의 아버지는 화적 떼에게 맞아 죽었다. ◻

배경 윤 직원 영감은 일제 강점기를 태평천하라고 여긴다. ◻

소재 윤종학이 사회주의 운동을 하다 잡혀간 사실이 '전보'를 통해 알려진다. ◻

02 이 글에 대한 설명으로 적절하지 않은 것은?

① 소제목을 활용하여 사건을 암시하고 있다.
② 판소리적 문체와 경어체를 사용하고 있다.
③ 작가가 직접 글에 개입하여 인물을 비꼬고 있다.
④ 비속어와 반어법을 통해 인물을 희화화하고 있다.
⑤ 서술자를 어린아이로 설정하여 독자가 직접 판단하게 하고 있다.

별별 포인트! ☆ 03 '전보'의 기능으로 적절하지 않은 것은?

① 사건의 반전을 이끌어 낸다.
② 윤 직원 집안이 몰락할 것임을 암시한다.
③ 윤종학이 검거되었다는 사실을 전달한다.
④ 윤종학이 서울로 돌아올 것임을 알려 준다.
⑤ 윤종학에 대한 윤 직원 영감의 기대가 물거품이 될 것임을 예고한다.

04 #2 에서 '진시황'과 '호해'를 이 글의 등장인물과 연결할 때 적절한 것은?

> 진(秦)나라를 망할 자, 호(胡)라는 예언을 듣고서, 변방을 막으려 만리장성을 쌓던 진시황, 그는 진나라를 망한 자, 호가 아니요, 그의 자식 호해(胡亥)임을 눈으로 보지 못하고 죽었으니, 오히려 행복이라 하겠습니다.

	진시황	호해
①	윤 주사	윤종수
②	윤 직원 영감	윤종수
③	윤종학	윤 직원 영감
④	윤 직원 영감	윤종학
⑤	윤 주사	윤종학

05 #3 과 보기 로 볼 때, '윤 직원 영감'이 사회주의에 반감을 가지는 이유로 가장 적절한 것은?

> 보기
> 윤 직원 영감은 자신의 부귀영화가 손자들에 의해 계속 이어지기를 바라고 있다. 그런데 윤종학이 빈부의 격차를 없애 평등한 사회를 만들려고 하는 사회주의에 참여하자 분노하고 있다.

① 귀한 손자를 경찰에 잡혀가게 만들었기 때문이다.
② 자신이 사회주의 운동을 하다 쫓겨난 경험이 있기 때문이다.
③ 윤종학이 자신의 허락 없이 사회주의에 참여했기 때문이다.
④ 사회주의 집단으로부터 보복을 당할까 봐 두려웠기 때문이다.
⑤ 윤종학 때문에 자신이 애써 모은 재산이 사라질 것 같았기 때문이다.

06 이 글에 대한 설명으로 적절하지 <u>않은</u> 것은?

① 윤종학은 일본 동경에 있는 대학교를 졸업할 예정이었다.
② 윤 주사는 평소 돈이 필요할 때만 윤 직원 영감을 찾아왔다.
③ 윤 직원 영감은 손자 윤종학이 경찰서장이 될 거라고 믿고 있었다.
④ 윤 직원 영감은 손자 윤종수와 윤종학을 비교하며 윤종수를 훈계하고 있다.
⑤ 윤 직원 영감은 윤종학이 사회주의에 관심이 있다는 기미를 이미 알고 있었다.

07 보기 로 보아 이 글의 제목인 '태평천하'의 의미로 적절하지 <u>않은</u> 것은?

> 보기
> 일제 강점기에 대부분의 우리 민족은 일제의 억압과 수탈로 처참한 생활을 하고 있었다. 그러나 윤 직원 영감과 같이 일제의 보호 아래 부와 지위를 누렸던 사람들도 있었다.

① 자신의 이익만 지키면 된다는 윤 직원 영감의 이기적 성격을 드러내고 있어.
② 윤 직원 영감은 일제 강점기 전에도 '태평천하'를 누리던 사람이라고 볼 수 있어.
③ 작가가 '태평천하'를 제목으로 사용한 것은 윤 직원 영감을 풍자하기 위해서일 거야.
④ 윤 직원 영감은 일제 강점기를 일제의 보호 아래 살기 좋은 '태평천하'라고 여기고 있어.
⑤ 우리 민족이 겪었던 고통을 고려했을 때 윤 직원 영감은 역사의식이 부족하다고 할 수 있어.

7문제 중에
_____ 문제 맞혔어!

04

님의 침묵

한용운

시어 님

화자에 따라 '빼앗긴 조국', '사랑하는 연인',
'종교적인 절대자' 등으로 달라질 수 있음.

표현 역설법

임과 이별하였는데 나는 임을 보내지
않았다는 말이 안 되는 표현을 통하여
임과 다시 만날 것에 대한 강한 믿음을 표현함.

화자 '임'을 떠나보낸 사람

임과 이별하였지만 다시 만날 것이라는 확신을 가지고 있음.
'독립운동가', '연인과 이별한 사람', '승려' 등 절대적으로
사랑하는 존재가 있는 모두가 화자가 될 수 있음.

읽기 포인트 » 임에 대한 영원한 사랑을 역설적 표현을 통하여 강조하고 있는 시이다. '님'의 의미와 화자가 '님'과의 이별을 어떻게 받아들이고 있는지 파악하며 읽어 보자.

☀님은 갔습니다. 아아, 사랑하는 나의 님은 갔습니다.

푸른 산빛을 깨치고 단풍나무 숲을 향하여 난 작은 길을 걸어서, 차마 떨치고 갔습니다.
_{'깨뜨리고'의 시적 허용.}

황금의 꽃같이 굳고 빛나던 옛 맹서는 차디찬 티끌이 되어서 한숨의 미풍에 날아갔습니다.
_{'맹세'의 원래 말.}

날카로운 첫 키스의 추억은 나의 운명의 지침을 돌려놓고 뒷걸음쳐서 사라졌습니다.
_{생활이나 행동의 방향을 알려 주는 준칙.}

나는 향기로운 님의 말소리에 귀먹고, 꽃다운 님의 얼굴에 눈멀었습니다.

사랑도 사람의 일이라, 만날 때에 미리 떠날 것을 염려하고 경계하지 아니한 것은 아니지만, 이별은 뜻밖의 일이 되고, 놀란 가슴은 새로운 슬픔에 터집니다.

☀그러나 이별은 쓸데없는 눈물의 원천을 만들고 마는 것은 스스로 사랑을 깨치는 것인 줄 아는 까닭에, 걷잡을 수 없는 슬픔의 힘을 옮겨서 새 희망의 정수박이에 들어부었습니다.
_{사물이 비롯되는 근본이나 원인.}
_{머리 위에 숨구멍이 있는 자리. '정수리'의 시적 허용.}

우리는 만날 때에 떠날 것을 염려하는 것과 같이, 떠날 때에 다시 만날 것을 믿습니다.

아아, 님은 갔지마는 나는 님을 보내지 아니하였습니다.

제 곡조를 못 이기는 사랑의 노래는 님의 침묵을 휩싸고 돕니다.
_{음악적 통일을 이루는 음의 연속.}

핵심 태그

뜻밖의 **1** # 에 놀라고 슬픔에 터진 가슴

임을 다시 만나리라는 믿음과 임을 향한 **2** # 의 노래

★별별 포인트★
< '님'의 상징적 의미 >

화자	'님'
연인과 이별한 사람	사랑하는 연인
독립운동가	빼앗긴 조국
승려	부처님

⇒ 화자에 따라 '님'의 의미가 달라질 수 있음.

★별별 포인트★
< 화자의 정서 변화 >

전반부(1~6행)
임과 이별한 슬픔

'그러나'(사상의 전환)

후반부(7~10행)
재회에 대한 희망과 확신

[01~07] 다음 시를 읽고 물음에 답하시오.

㉠님은 갔습니다. 아아, 사랑하는 나의 님은 갔습니다.

푸른 산빛을 깨치고 단풍나무 숲을 향하여 난 작은 길을 걸어서, 차마 떨치고 갔습니다.

㉡황금의 꽃같이 굳고 빛나던 옛 맹서는 차디찬 티끌이 되어서 한숨의 미풍에 날아갔습니다.

날카로운 첫 키스의 추억은 나의 운명의 지침을 돌려놓고 뒷걸음쳐서 사라졌습니다.

㉢나는 향기로운 님의 말소리에 귀먹고, 꽃다운 님의 얼굴에 눈멀었습니다.

㉣사랑도 사람의 일이라, 만날 때에 미리 떠날 것을 염려하고 경계하지 아니한 것은 아니지만, 이별은 뜻밖의 일이 되고, 놀란 가슴은 새로운 슬픔에 터집니다.

그러나 이별은 쓸데없는 눈물의 원천을 만들고 마는 것은 스스로 사랑을 깨치는 것인 줄 아는 까닭에, 걷잡을 수 없는 슬픔의 힘을 옮겨서 새 희망의 정수박이에 들어부었습니다.

우리는 만날 때에 떠날 것을 염려하는 것과 같이, 떠날 때에 다시 만날 것을 믿습니다.

㉤아아, 님은 갔지마는 나는 님을 보내지 아니하였습니다.

㉥제 곡조를 못 이기는 사랑의 노래는 님의 침묵을 휩싸고 돕니다.

오엑스 확인 문제

01 이 시에 대한 설명으로 맞으면 ○표, 틀리면 ×표를 하시오.

화자 | 화자는 헤어졌던 임과 다시 만났다. |

시어 | '황금의 꽃'과 '차디찬 티끌'은 의미가 서로 대조된다. |

표현 | 역설적 표현을 사용하여 전달하려는 바를 강조하고 있다. |

02 이 시의 화자에 대한 설명으로 가장 적절한 것은?

① 운명을 거스르려 하고 있다.
② '님'이 떠난 것을 부정하고 있다.
③ '님'을 다시 만날 것을 믿고 있다.
④ 절망에 빠져 계속 슬퍼하고 있다.
⑤ '님' 없이 혼자 살 수 있을지를 걱정하고 있다.

03 이 시에서 화자의 정서가 보기와 같이 바뀌는 부분으로 적절한 것은?

보기 | 임과 이별한 슬픔 → 재회에 대한 확신 |

① 5행의 '나는'
② 6행의 '사랑도'
③ 7행의 '그러나'
④ 8행의 '우리는'
⑤ 9행의 '아아'

별별 포인트 ☆
04 보기의 빈칸에 들어갈 '님'의 의미로 가장 적절한 것은?

> 보기
>
> '님'의 의미는 포괄적으로는 사랑하는 모든 존재라고 할 수 있지만, 화자의 신분과 처지에 따라 다양하게 해석할 수 있다. 이 시를 쓴 한용운이 삼일 운동 때 독립 선언서에 서명한 민족 대표 33인 가운데 한 사람인 것을 고려한다면 '님'의 의미는 ⬚⬚⬚⬚⬚ (이)라고 볼 수 있다.
>
>
> / 님은 갔습니다.
> ·······.

① 부처님
② 빼앗긴 조국
③ 사랑하는 연인
④ 상상으로 그리는 대상
⑤ 절대적인 사랑의 존재

05 ㉠~㉤을 이해한 내용으로 적절하지 <u>않은</u> 것은?

① ㉠에서는 '님'이 떠난 후 깊은 슬픔을 느끼는 화자의 모습을 나타내고 있군.
② ㉡에서는 사랑의 약속이 보잘것없는 것으로 변해 버렸다는 것을 의미하고 있군.
③ ㉢에서는 '님'에 대한 화자의 절대적인 사랑을 강조하고 있군.
④ ㉣에서는 '님'과 화자를 멀어지게 한 사람에 대한 원망을 드러내고 있군.
⑤ ㉤에서는 '님'이 떠나간 상황에서도 끊임없이 '님'을 사랑하고 있음을 표현하고 있군.

06 ⓐ에 대한 설명으로 적절한 것을 보기에서 골라 바르게 묶은 것은?

> 보기
>
> ㄱ. 겉으로 보기에 말이 안 되는 표현이다.
> ㄴ. 말하고자 하는 내용과 반대로 표현한 것이다.
> ㄷ. 임을 다시 만날 것이라는 믿음을 강조하고 있다.
> ㄹ. 임과 이별한 사실을 받아들이지 못하는 화자의 고통이 드러나 있다.

① ㄱ, ㄴ　　② ㄱ, ㄷ　　③ ㄴ, ㄷ
④ ㄴ, ㄹ　　⑤ ㄷ, ㄹ

07 보기의 내용이 잘 드러난 시행으로 적절한 것은?

> 보기
>
> 이 시에는 만남에는 헤어짐이 정해져 있고, 떠남이 있으면 반드시 돌아옴이 있다는 뜻의 '회자정리 거자필반(會者定離 去者必返)'이라는 불교의 윤회 사상이 나타나 있다.

① 님은 갔습니다. 아아, 사랑하는 나의 님은 갔습니다.
② 푸른 산빛을 깨치고 단풍나무 숲을 향하여 난 작은 길을 걸어서, 차마 떨치고 갔습니다.
③ 날카로운 첫 키스의 추억은 나의 운명의 지침을 돌려놓고 뒷걸음쳐서 사라졌습니다.
④ 우리는 만날 때에 떠날 것을 염려하는 것과 같이, 떠날 때에 다시 만날 것을 믿습니다.
⑤ 제 곡조를 못 이기는 사랑의 노래는 님의 침묵을 휩싸고 돕니다.

7문제 중에
＿＿＿＿문제 맞혔어!

05
청포도
이육사

표현 푸른색과 흰색의 색채 대비
푸른색과 흰색의 색채 대비를 통하여 평화로운
세계에 대한 간절한 소망을 감각적으로 표현함.

배경 일제 강점기
시어 손님
일제 강점기라는 창작 당시의 시대적 배경을
고려할 때, 화자가 기다리는 '손님'은 '조국 광복',
'평화로운 세계'를 상징함.

화자 '나'(시인 자신)
손님이 오기를 간절히 바라고 있음.

시어 청포도, 은쟁반, 모시 수건
미래에 대한 꿈과 희망을 상징함.

내 고장 칠월은
사람이 많이 사는 지방이나 지역.
☀청포도가 익어 가는 시절

이 마을 전설이 주저리주저리 열리고,
물건이 어지럽게 많이 매달려 있는 모양.
먼 데 ☀하늘이 꿈꾸며 알알이 들어와 박혀

하늘 밑 ☀푸른 바다가 가슴을 열고
☀흰 돛단배가 곱게 밀려서 오면

☀내가 바라는 손님은 고달픈 몸으로
☀청포를 입고 찾아온다고 했으니,
예전에 남자가 입던 푸른색의 겉옷.

내 그를 맞아 이 포도를 따 먹으면
두 손을 함뿍 적셔도 좋으련.
함빡. 물이 스며 나와 젖은 모양.

아이야, 우리 식탁엔 ☀은쟁반에
☀하이얀 모시 수건을 마련해 두렴.

핵심 태그

❶ # ＿＿＿＿ 가
익어 가는 평화로운
고향의 모습

흰 돛단배를 타고
❷ # ＿＿＿＿ 를 입고
찾아올 손님

손님을 맞아 함께
❸ # ＿＿＿＿ 를 따
먹기 위한 준비

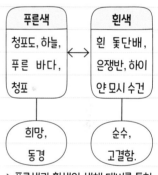

★ 별별 포인트 ★

< 시어의 상징적 의미 >

청포도	미래에 대한 꿈과 소망
하늘	꿈, 이상
손님	조국 광복, 평화로운 세계
은쟁반, 모시	손님에 대한 정성의 표현, 평화로운 미래를 향
수건	한 순결한 소망

★ 별별 포인트 ★

< 이 시에 드러난 색채 대비 >

푸른색		흰색
청포도, 하늘, 푸른 바다, 청포	↔	흰 돛단배, 은쟁반, 하이얀 모시 수건
희망, 동경		순수, 고결함.

➡ 푸른색과 흰색의 색채 대비를 통하여 평화로운 세계에 대한 간절한 소망을 감각적으로 표현함.

[01~08] 다음 시를 읽고 물음에 답하시오.

내 고장 칠월은
청포도가 익어 가는 시절

이 마을 전설이 주저리주저리 열리고,
㉠먼 데 하늘이 꿈꾸며 알알이 들어와 박혀

하늘 밑 ㉡푸른 바다가 가슴을 열고
흰 돛단배가 곱게 밀려서 오면

내가 바라는 손님은 고달픈 몸으로
청포를 입고 찾아온다고 했으니,

내 그를 맞아 이 포도를 따 먹으면
두 손을 함뿍 적셔도 좋으련.

아이야, 우리 식탁엔 은쟁반에
하이얀 모시 수건을 마련해 두렴.

01 이 시에 대한 설명으로 맞으면 ○표, 틀리면 ×표를 하시오.

화자 | 화자는 누군가를 기다리고 있다. |

시어 | '하늘'은 이상이나 화자가 꿈꾸는 소망을 의미한다. |

표현 | 붉은색과 흰색을 대비하여 화자의 소망을 부각하고 있다. |

별별 포인트
02 '청포도'에 대한 설명으로 적절하지 <u>않은</u> 것은?

① 주저리주저리 열린 모양으로 볼 때, 풍요로움을 나타낸다.
② 푸른색의 이미지로 볼 때, 미래에 대한 꿈과 희망을 나타낸다.
③ 화자가 고장의 모습으로 떠올린 것을 볼 때, 고향의 이미지를 나타낸다.
④ 청포도 알에 하늘이 비친 모습을 볼 때, 이상적인 삶에 대한 소망을 나타낸다.
⑤ 손님과 함께 먹고 싶다고 한 것으로 볼 때, 어려운 사람을 도우려는 인정을 나타낸다.

별별 포인트
03 이 시의 표현상 특징으로 가장 적절한 것은?

① 반어적 표현을 통해 의미를 강조하고 있다.
② 계절의 변화에 따라 시상을 전개하고 있다.
③ 시구의 반복을 통해 운율을 형성하고 있다.
④ 색채 대비를 통해 주제를 감각적으로 드러내고 있다.
⑤ 자연물에 감정을 이입하여 화자의 정서를 드러내고 있다.

04 이 시를 낭송한다고 할 때, 낭송자에게 당부할 말로 가장 적절한 것은?

① 밝고 희망찬 목소리로 낭송해 주세요.
② 두려움에 떠는 목소리로 낭송해 주세요.
③ 고민에 가득찬 목소리로 낭송해 주세요.
④ 슬프고 절망적인 목소리로 낭송해 주세요.
⑤ 아무 감정이 느껴지지 않도록 낭송해 주세요.

별별 포인트!☆
05 보기를 참고할 때, '손님'의 상징적 의미로 가장 적절한 것은?

> 보기
>
> 이육사는 시인이자 독립운동가로, 1925년 독립운동 단체인 의열단에 가입한 후 항일 운동을 펼쳤다. 그 과정에서 여러 차례 옥살이를 하였고, 그의 필명인 '이육사'는 그의 죄수 번호 '264'에서 유래한 것으로 알려져 있다.

① 조국의 광복
② 사랑하는 연인
③ 고향에 있는 가족
④ 자신을 지도해 준 스승
⑤ 함께 독립운동을 하던 동료

06 ㉠과 ㉡에 공통으로 사용된 표현 방법으로 적절한 것은?

① 같거나 비슷한 말을 반복한다.
② 대상을 비슷한 다른 사물에 빗댄다.
③ 실제와 반대되는 뜻의 말로 표현한다.
④ 사람이 아닌 대상을 사람처럼 표현한다.
⑤ 당연한 사실을 의문의 형식으로 표현한다.

별별 포인트!☆
07 이 시에서 보기의 설명과 관련이 깊은 시어를 바르게 고른 것은?

> 보기
>
> 보통 이 색은 '순결함, 깨끗함' 등을 상징한다. 따라서 이 색채를 사용한 시어들은 화자의 순결한 기다림의 자세를 강조한다.

> ㄱ. 청포도　　　　　ㄴ. 은쟁반
> ㄷ. 푸른 바다　　　　ㄹ. 흰 돛단배
> ㅁ. 하이얀 모시 수건

① ㄱ, ㄴ, ㄷ　　　　② ㄱ, ㄷ, ㄹ
③ ㄱ, ㄹ, ㅁ　　　　④ ㄴ, ㄷ, ㄹ
⑤ ㄴ, ㄹ, ㅁ

08 이 시에 대한 감상으로 적절하지 <u>않은</u> 것은?

① '청포도'가 열린 이미지를 떠올려 볼 때, 화자가 살던 '고장'은 풍요롭고 아름다운 곳이었겠군.
② '손님'이 '고달픈 몸'으로 찾아온다고 한 것은 일제 강점기의 우리 민족의 수난과 관련이 있겠군.
③ 시대적 상황을 고려한다면, '이 마을 전설'은 과거의 이야기라기보다 앞으로 전개될 민족의 역사와 관련이 있겠군.
④ '두 손을 함뿍 적셔도' 좋다는 것은 민족의 미래를 위하여 자신을 희생하겠다는 태도를 드러내는 것으로 볼 수 있겠군.
⑤ '푸른 바다'를 배경으로 '청포'를 입은 '손님'이 찾아온다는 내용으로 보아, 화자는 희망적인 미래를 꿈꾸고 있는 것이겠군.

8문제 중에

＿＿＿＿문제 맞혔어!

어휘로
마무리

01 다음 문장에 들어가기에 알맞은 어휘를 찾아 연결하시오.

(1) 이 순박한 어머니 배 속에서 그대로 나온 듯한 촌뜨기를 [   ]. ·

· ㉠ 꾄다

(2) 흐려지는 눈을 까물까물하다가 허 생원은 경망하게도 발을 [   ]. ·

· ㉡ 지릅니다

(3) 주먹으로 방바닥을 땅 치면서 성난 황소가 영각을 하듯 고함을 [   ]. ·

· ㉢ 빗디뎠다

02 다음은 「님의 침묵」의 일부분이다. 밑줄 친 어휘가 가리키는 신체 부위로 적절한 것은?

그러나 이별은 쓸데없는 눈물의 원천을 만들고 마는 것은 스스로 사랑을 깨치는 것인 줄 아는 까닭에, 걷잡을 수 없는 슬픔의 힘을 옮겨서 새 희망의 <u>정수박이</u>에 들어부었습니다.

① 이마   ② 팔꿈치   ③ 옆구리
④ 정수리   ⑤ 관자놀이

03 다음 밑줄 친 어휘와 바꾸어 쓰기에 적절한 것은?

물은 깊어 허리까지 찼다. 속 물살도 <u>어지간히</u> 센 데다가 발에 차이는 돌멩이도 미끄러워 금시에 훌칠 듯하였다. 나귀와 조 선달은 재빨리 거의 건넜으나 동이는 허 생원을 붙드느라고 두 사람은 훨씬 떨어졌다.

㉠ 시원찮게   ㉡ 웬만하니   ㉢ 어쭙잖게

04 다음은 어떤 사람이나 무리를 가리키는 말이다. 어휘의 초성을 보고 알맞은 어휘를 쓰시오.

(1)
나랏일을 근심하고 염려하는 사람.

| ㅇ | ㄱ | ㅈ | ㅅ |

(2)
언동이 몹시 막된 사람을 비난조로 이르는 말.

| ㅁ | ㄴ | ㄴ |

(3)
떼를 지어 돌아다니며 재물을 마구 빼앗는 사람들의 무리.

| ㅂ | ㅎ | ㄷ |

한줄 Hint
(1)은 「만세전」에서 '나', (2)는 「메밀꽃 필 무렵」에서 동이의 의부, (3)은 「태평천하」에서 사회주의자를 가리킬 때 쓰였다.

05 다음 제시된 뜻을 보고 빈칸에 들어갈 알맞은 어휘를 고르시오.

(1) 어지럽게 많이 매달려 있는 모양.

이 마을의 전설이
[   ] 열리고,

㉠ 얼기설기
㉡ 듬성듬성
㉢ 주저리주저리

(2) 한 알 한 알마다.

먼 데 하늘이 꿈꾸며
[   ] 박혀

㉠ 알알이
㉡ 사뿐히
㉢ 주렁주렁

한줄 Hint
(1)과 (2)는 시 「청포도」의 일부분이다. 시에서 '청포도'를 묘사한 부분을 생각해 본다.

06 다음 헷갈리기 쉬운 어휘 중, 문맥상 적절한 것을 고르시오.

(1) 젖었다고는 하여도 (여원 / 여윈) 몸이라 장정 등에는 오히려 가벼웠다.

(2) 모든 기억이 꿈같고 눈에 띄는 것마다 (가엾어 / 가없어) 보였다.

한줄 Hint
(1)과 (2)에 쓰인 어휘는 모두 맞춤법에 맞지만, 모음 하나의 차이로 뜻이 전혀 달라지는 어휘이다.

별별 배경

**어휘로
마무리**

한줄 Hint ✍★

앞뒤에 나오는 말을 보고 어떤 뜻이 들어갈 때 자연스러운지를 살펴본다.

💬 관용어

07 다음 밑줄 친 말의 뜻으로 적절한 것은?

"달밤이었으나 어떻게 해서 그렇게 됐는지 지금 생각해두 도무지 알 수 없어."
허 생원은 오늘 밤도 또 그 이야기를 끄집어내려는 것이다. 조 선달은 친구가 된 이래 귀에 못이 박히도록 들어 왔다. 그렇다고 싫증을 낼 수도 없었으나, 허 생원은 <u>시치미를 떼고</u> 되풀이할 대로는 되풀이하고야 말았다.

㉠ 조건이나 상황이 달라지다.
㉡ 같은 말을 너무나 여러 번 듣다.
㉢ 자기가 하고도 하지 않은 체하거나 알고 있으면서도 모르는 체하다.

한줄 Hint ✍★

속담 뒤에 이어지는 말이 윤 직원 영감의 상황에 어울리는지 살펴본다.

💬 속담

08 다음 상황에서 '윤 직원 영감'이 '윤종학'에게 할 수 있는 말로 가장 적절한 것은?

「태평천하」의 윤 직원 영감은 일본 동경에서 대학에 다니는 둘째 손자 윤종학이 대학을 졸업하고 경찰이 되어 나중에는 경찰서장 자리에까지 오르리라고 기대하고 있다. 그러던 차에 아들 윤 주사가 동경에서 전보가 왔다고 한다. 전보의 내용은 윤종학이 사회주의 운동을 하다 경찰에 잡혀갔다는 내용으로 윤 직원 영감은 이 말을 듣고 다음과 같이 말하며 불같이 화를 낸다.

"……그런 쳐 죽일 놈이, 깎어 죽여두 아깝잖을 놈이! 그놈이 경찰서장 허라닝개루, 생판 사회주의 허다가 뎁다 경찰에 잽혀? 으응? …… 오사 육시를 할 놈이, 그 놈이 그게 어디 당헌 것이라구 지가 사회주의를 허여? 부자 놈의 자식이 무엇이 대껴서 불한당패에 들어?……"

㉠ "가재는 게 편이라더니, 역시 너는 내 편이야."
㉡ "믿는 도끼에 발등 찍힌다더니, 내가 딱 그렇구나."
㉢ "참는 자에게 복이 있다더니, 내가 참은 보람이 있구나."

별별

소재

01 **동백꽃**_ 김유정

02 **돌다리**_ 이태준

03 **역마**_ 김동리

04 **진달래꽃**_ 김소월

05 **돌담에 속삭이는 햇발**_ 김영랑

별별 소재 어휘로 마무리

01

동백꽃 김유정

소재 감자

사건 '점순'이 건넨 감자를 거절하는 '나'

점순이가 호감의 표시로 건넨 구운 감자를 '나'가 거절한 이후부터, 점순이가 '나'를 괴롭히기 시작함.

인물 점순

마름의 딸. 남녀 간의 애정에 눈을 뜬 사춘기 소녀로 '나'에게 적극적으로 마음을 표현함.

고추장 물을 먹여서 닭싸움에서 이기겠어!

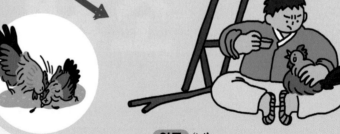

인물 '나'

소작인의 아들. 어수룩하고 순진한 사춘기 소년으로 점순이의 관심을 눈치채지 못함.

소재 닭싸움

사건 '점순'네 수탉을 때려죽이는 '나'

점순이가 자꾸 닭싸움을 붙이자, '나'는 너무 화가 나서 점순네 수탉을 단매로 때려죽이게 됨.

배경 1930년대, 강원도 산골의 농촌 마을

소재 동백꽃

점순이는 '나'가 수탉을 죽인 사실을 감춰 주겠다고 하고, '나'는 그런 점순이에게 떠밀려 함께 동백꽃 속으로 쓰러짐.

읽기 포인트》 '나'를 이성으로 바라보는 점순이의 마음을 '나'가 몰라줌으로써 발생하는 사건과, '감자', '닭싸움', '동백꽃'과 같은 소재가 이러한 사건에서 어떤 역할을 하는지 파악하며 읽어 보자.

#1 나흘 전 감자 쪼간만 하더라도 나는 저에게 조금도 잘못한 것은 없다.
       └ 어떤 사건이나 일.

계집애가 나물을 캐러 가면 갔지 남 울타리 엮는데 쌩이질을 하는 것은 다 뭐냐.
                                                    └ 한창 바쁠 때에 쓸데없는 일로 남을 귀찮게 구는 짓.
그것도 발소리를 죽여 가지고 등 뒤로 살며시 와서,

"얘! 너 혼자만 일하니?" / 하고 긴치 않은 수작을 하는 것이다.
                              └ '긴하지'의 준말. 꼭 필요하지.

어제까지도 저와 나는 이야기도 잘 않고 서로 만나도 본척만척하고 이렇게 점
잖게 지내던 터이련만 오늘로 갑작스레 대견해졌음은 웬일인가. 하물며 망아지만
한 계집애가 남 일하는 놈 보고……

"그럼 혼자 하지 떼루 하디?" / 내가 이렇게 내뱉는 소리를 하니까

"너 일하기 좋니?" / 또는, / "한여름이나 되거든 하지 벌써 울타리를 하니?"

잔소리를 두루 늘어놓다가 남이 들을까 봐 손으로 입을 틀어막고는 그 속에서
깔깔댄다. 별로 우스울 것도 없는데 날씨가 풀리더니 이놈의 계집애가 미쳤나 하
고 의심하였다. 게다가 조금 뒤에는 제 집께를 할금할금 돌아보더니 행주치마의
                                        └ 곁눈으로 계속 살그머니 할겨 보는 모양.
속으로 꼈던 오른손을 뽑아서 나의 턱 밑으로 불쑥 내미는 것이다. 언제 구웠는지
아직도 더운 김이 홱 끼치는 굵은 ✘ 감자 세 개가 손에 뿌듯이 쥐였다.

"느 집엔 이거 없지?"

하고 생색 있는 큰소리를 하고는 제가 준 것을 남이 알면 큰일 날 테니 여기서 얼
└ 다른 사람 앞에 당당히 나설 수 있거나 자랑할 수 있는 체면.
른 먹어 버리란다. 그리고 또 하는 소리가

"너 봄 감자가 맛있단다."

"난 감자 안 먹는다. 니나 먹어라."

나는 고개도 돌리려 하지 않고 일하던 손으로 그 감자를 도로 어깨 너머로 쑥 밀
어 버렸다.

그랬더니 그래도 가는 기색이 없고, 그뿐만 아니라 쌔근쌔근하고 심상치 않게
숨소리가 점점 거칠어진다. 이건 또 뭐야 싶어서 그때서야 비로소 돌아다보니 나
는 참으로 놀랐다. 우리가 이 동네에 들어온 것은 근 삼 년째 되어 오지만, 여태껏
가무잡잡한 점순이의 얼굴이 이렇게까지 홍당무처럼 새빨개진 법이 없었다. 게다
눈에 독을 올리고 한참 나를 요렇게 쏘아보더니 나중에는 눈물까지 어리는 것이
아니냐. 그리고 바구니를 다시 집어 들더니 이를 꼭 악물고는 엎어질 듯 자빠질 듯
논둑으로 곧장 달아나는 것이다. 〈중략〉

★ 별별 포인트 ★

< '감자'의 기능 >

● 점순이가 '나'에 대한
  마음을 표현하는 소재

● '나'와 점순이 간의
  갈등을 불러일으키는 소재

● '나'에게 거절당한 점순이가 앙갚
  음으로 닭싸움을 붙이는 계기가 되는
  소재

#1 핵심 태그
점순이가 '나'에게 준
#　　　를 '나'가 거절하자
얼굴이 빨개져 달아난 점순

#2 그러나 얼마 되지 않아서 나는 넋이 풀리어 기둥같이 묵묵히 서 있게 되었다. 왜냐하면 큰 닭이 한 번 쪼인 앙갚음으로 호들갑스레 연거푸 쪼는 서슬에 우리 수탉은 찔끔 못하고 막 곯는다. 이걸 보고서 이번에는 점순이가 깔깔거리고 되도록 이쪽에서 많이 들으라고 웃는 것이다.

> 강하고 날카로운 기세.

나는 보다 못하여 덤벼들어서 우리 수탉을 붙들어 가지고 도로 집으로 들어왔다. 고추장을 좀 더 먹였더라면 좋았을걸, 너무 급하게 쌈을 붙인 것이 퍽 후회가 난다. 장독께로 돌아와서 다시 턱 밑에 고추장을 들이댔다. 흥분으로 말미암아 그런지 당최 먹질 않는다. / 나는 하릴없이 닭을 반듯이 눕히고 그 입에다 궐련 물부리를 물리었다. 그리고 고추장 물을 타서 그 구멍으로 조금씩 들이부었다. 닭은 좀

> 달리 어떻게 할 도리가 없이. 종이로 만 담배(궐련)를 끼워서 빠는 물건.

괴로운지 킥킥 하고 재채기를 하는 모양이나 그러나 당장의 괴로움은 매일같이 피를 흘리는 데 댈 게 아니라 생각하였다.

그러나 한 두어 종지가량 고추장 물을 먹이고 나서는 나는 고만 풀이 죽었다. 싱싱하던 닭이 왜 그런지 고개를 살며시 뒤틀고는 손아귀에서 뻐드러지는 것이 아닌가. 아버지가 볼까 봐서 얼른 홰에다 감추어 두었더니 오늘 아침에서야 겨우 정

> 굳어서 뻣뻣하게 되는.

신이 든 모양 같다.

> 닭장 속에 닭이 올라앉게 가로질러 놓은 나무 막대.

그랬던 걸 이렇게 오다 보니까 또 쌈을 붙여 놓으니 이 망할 계집애가, 필연 우리 집에 아무도 없는 틈을 타서 제가 들어와 홰에서 꺼내 가지고 나간 것이 분명하다. / 나는 다시 닭을 잡아다 가두고 염려는 스러우나 그렇다고 산으로 나무를 하러 가지 않을 수도 없는 형편이었다.

소나무 삭정이를 따며 가만히 생각해 보니 암만해도 고년의 목쟁이를 돌려놓고 싶다. 이번에 내려가면 망할 년 등줄기를 한번 되게 후려치겠다 하고 싱둥겅둥 나

> 말라 죽은 가지.   목덜미를 이루고 있는 뼈.
> 건성건성. 정성을 들이지 않고 대강 일을 하는 모양.

무를 지고는 부리나케 내려왔다.

거지반 집에 다 내려와서 나는 호드기 소리를 듣고 발이 딱 멈추었다. 산기슭에

> 거의 절반.   버드나무 껍질이나 밀짚으로 만든 피리.

널려 있는 굵은 바윗돌 틈에 노란 동백꽃이 소보록하니 깔리었다. 그 틈에 끼어 앉아서 점순이가 청승맞게스리 호드기를 불고 있는 것이다. 그보다 더 놀란 것은 그 앞에서 또 푸드덕푸드덕 하고 들리는 닭의 횃소리다. ✄필연코 요년이 나의 약을 올리느라고 또 닭을 집어내다가 내가 내려올 길목에다 쌈을 시켜 놓고 저는 그 앞에 앉아서 천연스레 호드기를 불고 있음에 틀림없으리라.

나는 약이 오를 대로 다 올라서 두 눈에서 불과 함께 눈물이 퍽 쏟아졌다. 나무지게도 벗어 놀 새 없이 그대로 내동댕이치고는 지게막대기를 뻗치고 허둥지둥 달려들었다.

#3 가까이 와 보니, 과연 나의 짐작대로 우리 수탉이 피를 흘리고 거의 빈사지경
_{거의 죽을 지경.}
에 이르렀다. 닭도 닭이려니와 그러함에도 불구하고 눈 하나 깜짝 없이 고대로 앉

아서 호드기만 부는 그 꼴에 더욱 치가 떨린다. 동네에서도 소문이 났거니와 나도

한때는 걱실걱실히 일 잘 하고 얼굴 예쁜 계집애인 줄 알았더니 시방 보니까 그 눈
_{성질이 너그러워 말과 행동을 시원스럽게 하는 모양.}
깔이 꼭 여우 새끼 같다.

나는 대뜸 달려들어서 나도 모르는 사이에 큰 수탉을 단매로 때려 엎었다. 닭은
_{단 한 번 때리는 매.}
푹 엎어진 채 다리 하나 꼼짝 못 하고 그대로 죽어 버렸다. 그리고 나는 멍하니 섰

다가 점순이가 매섭게 눈을 홉뜨고 닥치는 바람에 뒤로 벌렁 나자빠졌다.
_{눈알을 위로 굴리고 눈시울을 위로 치뜨고.}
"이놈아! 너 왜 남의 닭을 때려죽이니?" / "그럼 어때?"

하고 일어나다가 / "뭐 이 자식아! 누 집 닭인데?"

하고 가슴을 떼미는 바람에 다시 벌렁 자빠졌다. 그러고 나서 가만히 생각을 하니

분하기도 하고 무안스럽기도 하고, 또 한편 일을 저질렀으니 인젠 땅이 떨어지고

집도 내쫓기고 해야 되는지 모른다.

#3 핵심 태그
화가 나서 단매로 점순이네
을 때려죽이는
'나'

#4 나는 비슬비슬 일어나며 소맷자락으로 눈을 가리고는 얼김에 엉 하고 울음
_{어떤 일이 벌어지는 바람에 자기도 모르게 정신이 얼떨떨한 상태.}
을 놓았다. 그러다 점순이가 앞으로 다가와서

"그럼, 너 이담부턴 안 그럴 터냐?"

하고 물을 때에야 비로소 살길을 찾은 듯싶었다. 나는 눈물을 우선 씻고 뭘 안 그

러는지 명색도 모르건만 / "그래!" / 하고 무턱대고 대답하였다.
_{겉으로 내세우는 구실. 이유.}
"요담부터 또 그래 봐라, 내 자꾸 못살게 굴 테니."

"그래그래, 인젠 안 그럴 테야." / "닭 죽은 건 염려 마라. 내 안 이를 테니."

그리고 뭣에 떠다밀렸는지 나의 어깨를 짚은 채 그대로 픽 쓰러진다. 그 바람에

나의 몸뚱이도 겹쳐서 쓰러지며 한창 피어 퍼드러진 ✹노란 동백꽃 속으로 폭 파

묻혀 버렸다.

알싸한, 그리고 향긋한 그 냄새에 나는 땅이 꺼지는 듯이 온 정신이 고만 아찔하였다.
_{매운맛이나 독한 냄새로 코 속이나 혀끝이 알알한.}
"너 말 마라." / "그래!"

조금 있더니 요 아래서

"점순아! 점순아! 이년이 바느질을 하다 말구 어딜 갔어!"

하고 어딜 갔다 온 듯싶은 그 어머니가 역정이 대단히 났다.
_{몹시 언짢거나 못마땅하여 내는 성.}
점순이가 겁을 잔뜩 집어먹고 꽃 밑을 살금살금 기어서 산 아래로 내려간 다음,

나는 바위를 끼고 엉금엉금 기어서 산 위로 달아나지 않을 수 없었다.

★ 별별 포인트 ★

< '동백꽃'의 기능 >

• 낭만적이고 서정적인
분위기를 형성하는
소재

• '나'와 점순이의 갈등이 해소되고,
둘 사이에 풋풋한 감정이 생겼음을
암시하는 소재

#4 핵심 태그
점순이에게 떠밀려 점순이와
함께 #   속으로
쓰러지는 '나'

작품 줄거리 요약하기

01 이 글에 대한 설명으로 맞으면 ○표, 틀리면 ✕표를 하시오.

인물 | '나'와 점순이는 사춘기 소년, 소녀이다. |

사건 | '나'는 점순이와의 싸움에서 이기려고 고추장 물을 먹였다. |

배경 | 강원도 산골 마을의 향토적인 분위기가 느껴진다. |

소재 | '닭싸움'은 점순이에 대한 '나'의 관심을 드러낸다. |

제시 장면 줄거리

나흘 전에 울타리를 엮고 있던 '나'에게 갑자기 점순이가 와서 말을 건다. '나'가 점순이가 주는 구운 [1 ▢▢]를 거절하자, 점순이는 새빨개진 얼굴로 '나'를 노려보더니 달아난다.

중략 부분 줄거리

'나'의 집은 마름인 점순이네 집에서 땅을 얻어 농사를 짓는 소작인이라, '나'의 어머니는 '나'에게 점순이와 붙어 다니지 말라고 항상 주의를 준다. 그런데 감자 사건 이후로 점순이가 '나'의 씨암탉을 때리고, '나'를 욕하는 등 이유 없이 '나'를 괴롭힌다. 게다가 점순이는 자기네 힘센 수탉과 '나'의 수탉을 쌈을 붙여 못살게 굴기까지 한다.

자기네 수탉이 자꾸 당하기만 하자 분하고 억울한 '나'는 닭에게 고추장을 먹이면 기운이 뻗친다는 이야기를 듣고 수탉에게 고추장을 먹인다. 고추장을 먹은 '나'의 수탉이 점순이네 수탉을 한 번 쪼지만, 결국 점순이네 수탉에게 몇 배로 더 쪼이고 만다.

제시 장면 줄거리

점순이가 또다시 '나'의 수탉을 꾀어내 자기네 수탉과 쌈을 붙여 놓는다. '나'의 수탉이 죽을 지경이 되었는데도 호드기만 불고 있는 점순이를 보자 '나'는 화가 치민다. 결국 '나'는 점순이네 수탉을 단매로 때려죽인다.

'나'가 점순이네 수탉을 죽인 사실을 점순이가 감추어 주기로 하고, 둘은 [2 ▢▢▢] 속으로 쓰러진다. 점순이의 어머니가 점순이를 부르는 소리에 점순이는 산 아래로, '나'는 산 위로 도망간다.

02 '나'가 '점순'이 준 감자를 거절한 이유로 적절한 것은?

① 점순이의 말에 자존심이 상해서
② 원래 구운 감자를 좋아하지 않아서
③ 밥 먹은 지 얼마 안 되어 배가 불러서
④ 일이 바빠 감자를 먹을 시간이 없어서
⑤ 점순이의 마음을 받아들일 준비가 되어 있지 않아서

03 이 글에 나타난 '점순'의 행동을 통해 '점순'에 대해 짐작할 수 있는 것은?

① '나'의 관심을 끌고 싶어 한다.
② '나'가 더 열심히 일하기를 바란다.
③ '나'의 집이 가난한 것을 안쓰럽게 생각한다.
④ 자신의 마음을 '나'에게 직설적으로 표현한다.
⑤ 자신의 집이 잘산다는 것을 '나'에게 내세우고 싶어 한다.

04 '나'와 '점순'의 성격을 비교한 내용으로 적절한 것은?

	'나'	'점순'
①	치밀하다.	영리하다.
②	예민하다.	둔감하다.
③	느긋하다.	순진하다.
④	도도하다.	엉큼하다.
⑤	어수룩하다.	적극적이다.

05 #4에 제시된 다음 '점순'의 말에 담긴 의미로 가장 적절한 것은?

> "그럼, 너 이담부턴 안 그럴 터냐?"

① 우리 어머니한테 이르지 마.
② 이제부터 내 앞에서 울지 마.
③ 앞으로는 내 마음을 거절하지 마.
④ 주제넘게 내 앞에서 잘난 척하지 마.
⑤ 네 수탉과 우리 집 수탉을 싸움 붙이지 마.

06 '노란 동백꽃'의 역할로 적절하지 않은 것은?

① '나'와 점순이가 화해했음을 보여 준다.
② '나'와 점순이의 형편이 다름을 드러낸다.
③ 낭만적이고 서정적인 분위기를 자아낸다.
④ '나'와 점순이의 풋풋한 모습을 감각적으로 표현한다.
⑤ '나'와 점순이 사이에 미묘한 감정이 싹텄음을 나타낸다.

07 이 글에 나타난 갈등을 보기와 같이 정리할 때, ㉠~㉢에 해당하는 사건으로 적절하지 않은 것은?

보기

갈등의 원인	→	갈등의 진행	→	갈등의 해소
㉠		㉡		㉢

① ㉠: '나'가 점순이가 주는 구운 감자를 먹지 않겠다고 함.
② ㉡: 점순이가 자꾸 자기네 수탉과 '나'의 수탉 사이에 닭싸움을 붙임.
③ ㉡: '나'의 수탉이 점순이네 수탉에게 쪼이다 결국 피를 흘리며 죽음.
④ ㉢: '나'가 점순이네 수탉을 때려죽인 사실을 점순이가 숨겨 주기로 함.
⑤ ㉢: '나'가 점순이에게 떠밀려 점순이와 함께 노란 동백꽃 속으로 쓰러짐.

08 이 글이 독자에게 웃음을 주는 이유로 가장 적절한 것은?

① '나'의 우스꽝스러운 생김새와 느릿느릿한 말투 때문이다.
② '나'를 좋아하지만 관심 없는 척하는 점순이의 행동 때문이다.
③ '나'가 자신을 괴롭힌 점순이에게 통쾌하게 복수하기 때문이다.
④ '나'가 점순이에 대한 애정을 고백하지 못하고 주변을 맴돌기 때문이다.
⑤ '나'가 점순이의 이성적 관심을 눈치채지 못하고 엉뚱하게 반응하기 때문이다.

8문제 중에 _____ 문제 맞혔어!

02
돌다리
이태준

배경 일제 강점기의 어느 농촌 마을

소재 땅

사건 '땅'을 팔자는 '창섭'과 이를 거절하는 아버지

창섭이가 땅을 팔아 병원을 확장하자고 아버지를 설득하기
위해서 고향에 옴.

아들에겐 미안하지만
땅을 팔 수는 없구나!

아버지를 이해해.
내가 이기적이었어.

인물 아버지

창섭이의 아버지로 땅에 대한
애착이 깊은 농부. 이익을
위해 땅을 사고파는 사람들을
못마땅해하며 결국 창섭이의
제안을 거절함.

인물 창섭

맹장 수술 전문의. 시골에
있는 아버지의 땅을 팔아서
서울에 있는 병원을
확장하려고 함.

소재 돌다리, 나무다리

'돌다리'는 아버지의 전통적인 가치관을,
'나무다리'는 창섭이의 근대적인 가치관을 상징함.

읽기 포인트 » 창섭이가 아버지에게 '땅'을 팔자고 하지만 아버지는 아들의 제안을 거절한다. 두 사람의 대화에서 알 수 있는 가치관의 차이를 파악하며 읽어 보자.

#1 아버지는 아들의 뒤를 쫓아 이내 개울에서 들어왔다. 아들은, 의사인 아들은, 마치 환자에게 치료 방법을 이르듯이, 냉정히 차근차근히 이야기를 시작하였다. 외아들인 자기가 부모님을 진작 모시지 못한 것이 잘못인 것, 한집에 모이려면 자기가 병원을 버리기보다는 부모님이 농토를 버리시고 서울로 오시는 것이 순리인 것, 병원은 나날이 환자가 늘어 가나 입원실이 부족하여 오는 환자의 삼분지 일
　　　　　　순한 이치나 도리. 또는 도리나 이치에 순종함.
밖에 수용 못 하는 것, 지금 시국에 큰 건물을 새로 짓기란 거의 불가능의 일인 것,
　　　　　　현재 닥친 국내 및 국제 정세나 대세.
마침 교통 편한 자리에 삼 층 양옥이 하나 난 것, 인쇄소였던 집인데 전체가 콘크리트여서 방화 방공으로 가치가 충분한 것, 삼 층은 살림집과 직공들의 합숙실로
　　적의 항공기나 미사일의 공격을 막음.
꾸미었던 것이라 입원실로 변장하기에 용이한 것, 각 층에 수도와 가스가 다 들어온 것, 그러면서도 가격은 염한 것, 염하기는 하나 삼만 이천 원이라, 지금의 병원
　　　　　　값이 싼.
을 팔면 일만 오천 원쯤은 받겠지만 그것은 새집을 고치는 데와, 수술실의 기계를 완비하는 데 다 들어갈 것이니 집값 삼만 이천 원은 따로 있어야 할 것, 시골에 땅
빠짐없이 완전히 갖추는.
을 둔대야 일 년에 고작 삼천 원의 실리가 떨어질지 말지 하지만 땅을 팔아다 병원만 확장해 놓으면 적어도 일 년에 만 원 하나씩은 이익을 뽑을 자신이 있는 것, 돈만 있으면 땅은 이담에라도, 서울 가까이라도 얼마든지 좋은 것으로 살 수 있는 것…… 아버지는 아들의 의견을 끝까지 잠잠히 들었다. 그리고,

"점심이나 먹어라. 나두 좀 생각해 봐야 대답허겠다." / 하고는 다시 개울로 나갔고, 떨어졌던 다릿돌을 올려놓고야 들어와 그도 점심상을 받았다.

점심을 자시면서였다.

"원, 요즘 사람들은 힘두 줄었나 봐! 그 다리 첨 놀 제 내가 어려서 봤는데 불과 여남은이서 거들던 돌인데 장정 수십 명이 한나절을 씨름을 허다니!"
　　　　　나이가 젊고 기운이 좋은 남자.
☆"나무다리가 있는데 건 왜 고치시나요?"

"너두 그런 소릴 허는구나. ☆나무가 돌만 허다든? 넌 그 다리서 고기 잡던 생각 두 안 나니? 서울로 공부 갈 때 그 다리 건너서 떠나던 생각 안 나니? 시체 사람
　　　　　　　　　　　　그 시대의 풍습과 유행을 따름.
들은 모두 인정이란 게 사람헌테만 쓰는 건 줄 알드라! 내 할아버지 산소에 상돌을 그 다리로 건네다 모셨구, 내가 천잘 끼구 그 다리루 글 읽으러 댕겼다. 네
　　　　　　　　　　　　천자문.
어미두 그 다리루 가말 타구 내 집에 왔어. 나 죽건 그 다리루 건네다 묻어라……. 난 서울 갈 생각 없다." / "네?"

★ 별별 포인트 ★

〈 '나무다리'와 '돌다리'의 의미 〉

나무다리	창섭이의 근대적, 물질적 가치관을 상징하는 소재
돌다리	아버지의 전통적, 정신적 가치관을 상징하는 소재

#1 핵심 태그

\# 　　　　　을 확장하기 위해 땅을 팔자고 아버지를 설득하는 창섭이와 이를 거절하는 아버지

★ 별별 포인트 ★

< '땅'에 대한 가치관 차이 >

창섭(근대적 가치관)
- 이익을 위해 팔 수 있는 금전적 가치가 있는 대상
- 돈이 있으면 다시 살 수 있는 재화

↕

아버지(전통적 가치관)
- 삶의 터전이자 천지 만물의 근거
- 가족들의 추억과 피땀이 담겨 있는 곳

#2 ☠ "천금이 쏟아진대두 난 땅은 못 팔겠다. 내 아버님께서 손수 이룩허시는
_{많은 돈이나 비싼 값을 비유적으로 이르는 말.}
걸 내 눈으루 본 밭이구, 내 할아버님께서 손수 피땀을 흘려 모으신 돈으루 장만
_{무엇을 이루기 위하여 애쓰는 노력과 정성을 비유적으로 이르는 말.}
허신 논들이야. 돈 있다고 어디가 느르지논 같은 게 있구, 독시장밭 같은 걸 사?
느르지논둑에 선 느티나무는 할아버님께서 심으신 거구, 저 사랑 마당에 은행
나무는 아버님께서 심으신 거다. 그 나무 밑에를 설 때마다 난 그 어른들 동상이
나 다름없이 경건한 마음이 솟아 우러러보군 헌다. 땅이란 걸 어떻게 한때의 이
해를 따져 사구팔구 허느냐? 땅 없어 봐라, 집이 어딨으며 나라가 어딨는 줄 아
_{이익과 손해.}
니? ☠ 땅이란 천지 만물의 근거야. 돈 있다구 땅이 뭔지두 모르구 욕심만 내 문
서 쪽으로 사 모으기만 하는 사람들, ☠ 돈놀이처럼 변리만 생각허구 제 조상들
_{이자. 남에게 돈을 빌려 쓴 대가로 치르는 일정한 비율의 돈.}
과 그 땅과 어떤 인연이란 건 도시 생각지 않구 헌신짝 버리듯 하는 사람들, 다
_{도무지.}
내 눈엔 괴이한 사람들루밖엔 뵈지 않드라."

"……."

"네가 뉘 덕으로 오늘 의사가 됐니? 내 덕인 줄만 아느냐? 내가 땅 없이 뭘루?
밭에 가 절하구 논에 가 절해야 쓴다. 자고로 하늘 하늘 허나 하늘의 덕이 땅을
통허지 않군 사람헌테 미치는 줄 아니? 땅을 파는 건 그게 하늘을 파는 거나 다
름없는 거다."

"……."

"땅을 밟구 다니니까 땅을 우섭게들 여기지? 땅처럼 응과가 분명헌 게 무어냐?
하늘은 차라리 못 믿을 때두 많다. 그러나 힘들이는 사람에겐 힘들이는 만큼 땅
은 반드시 후헌 보답을 주시는 거다. 세상에 흔해 빠진 지주들, 땅은 작인들헌테
_{소작인. 다른 사람의 농지를 빌려 농사를 짓고 그 대가로 사용료를 지급하는 사람.}
나 맡겨 버리고, 떡 도회지에 가 앉어 소출은 팔어다 모다 도회지에 낭비해 버리
_{논밭에서 나는 곡식.}
구, 땅 가꾸는 덴 단돈 일 원을 벌벌 떨구, 땅으루 살며 땅에 야박한 놈은 자식
으로 치면 후레자식인 셈이야. 땅이 말을 할 줄 알어 봐라? 배가 고프단 땅이 얼
_{배운 데 없이 막되게 자라 교양이나 버릇이 없는 사람을 낮잡아 이르는 말.}
마나 많을 테냐? 해마다 걷어만 가구 땅은 자갈밭이 되니 아나? 둑이 떠나가니
아나? 거름 한 번을 제대로 넣나? 정 급허게 돼 작인이 우는소리나 해야 요즘
너희 신의들 주사침 놓듯, 애꿎은 금비만 갖다 털어 넣지. 그렇게 땅을 홀대를
_{화학 비료.}   _{소홀히 대접함.}
허군 인제 죽어서 땅이 무서워서 어디루들 갈 텐구!"

#2 핵심 태그

#〔　　　〕의 소중함을 모르고 땅을 함부로 대하는 사람들을 비판하는 아버지

#3 창섭은 입이 얼어 버리었다. 손만 비비었다. 자기의 생각은 너무나 자기 본위
_{판단이나 행동에서 중심이 되는 기준.}
였던 것을 대뜸 깨달았다. 땅에는 이해를 초월한 일종 종교적 신념을 가진 아버지
에게 아들의 이단적인 계획이 용납될 리 만무였다. 아버지는 상을 물리고도 말을
_{절대로 없었다.}
계속하였다.

"너루선 어떤 수단을 쓰든지 병원부터 확장하려는 게 과히 엉뚱헌 욕심은 아닐 줄두 안다. 그러나 욕심을 부련 못쓰는 거다. 의술은 예로부터 인술이라지 않니? 매사를 순탄허게 진실허게 해라."

사람을 살리는 어진 기술.

"......."

"네가 가업을 이어 나가지 않는다군 탄하지 않겠다. 넌 너루서 발전헐 길을 열었구, 그게 또 모리지배의 악업이 아니라 사람을 살리는 인술이구나! 내가 어떻게 불평을 말허니? 다만 삼사 대 집안에서 공들여 이룩해 논 전장을 남의 손에 내 맡기게 되는 게 적이 애석헌 심사가 없달 순 없구......"

나무라지.
모리배. 온갖 수단과 방법으로 자신의 이익만을 꾀하는 사람.
개인이 가진 논밭.
슬프고 아까운.

"팔지 않으면 그만 아닙니까?"

"나 죽은 뒤에 누가 거두니? 너두 이제두 말했지만 너두 문서 쪽만 쥐구 서울 앉어 지주 노릇만 허게? 그따위 지주허구 작인 틈에서 땅들만 얼마를 곯는지 아니? 안 된다. 팔 테다. 나 죽을 임시엔 다 팔 테다. 돈에 팔 줄 아니? 사람헌테 팔 테다. 건너 용문이는 우리 느르지논 같은 건 한 해만 부쳐 보구 죽어두 농군으로 태어났던 걸 한하지 않겠다구 했다. 독시장밭을 내놓는다구 해 봐라, 문보나 덕 길이 같은 사람은 길바닥에 나앉드라두 집을 팔아 살려구 덤빌 게다. 그런 사람들이 땅임자 안 되구 누가 돼야 옳으냐? 그러니 아주 말이 난 김에 내 유언이다. 그런 사람들 무슨 돈으로 땅값을 한목 내겠니? 몇몇 해구 그 땅 소출을 팔아 연년이 갚어 나가게 헐 테니 너두 땅값을랑 그렇게 받어 갈 줄 미리 알구 있거라. 그리구 네 모가 먼저 가면 내가 묻을 거구, 내가 먼저 가게 되면 네 모만은 네가 서울로 그때 데려가렴. 난 샘말서 이렇게 야인으로나 죄 없는 밥을 먹다 야인인 채 묻힐 걸 흡족히 여긴다." / "......."

정해진 시간에 다다름. 또는 그 무렵.
원망스럽게 생각하지.
한꺼번에 몰아서.
어머니.

"자식의 젊은 욕망을 들어 못 주는 게 애비 된 맘으루두 섭섭허다. 그러나 이 늙은이헌테두 그만 신념쯤 지켜 오는 게 있다는 걸 무시하지 말어다구."

아버지는 다시 일어나 담배를 피우며 다리 고치는 데로 나갔다. 옆에 앉았던 어머니는 두 눈에 눈물을 쭈루루 흘리었다.

"너희 아버지가 여간 고집이시냐?"

"아뇨, 아버지가 어떤 어른이신 건 오늘 제가 더 잘 알었습니다. 우리 아버진 훌륭헌 인물이십니다."

그러나 창섭도 코허리가 찌르르하였다. 자기가 계획하고 온 일이 실패한 것쯤은 차라리 당연하게 생각되었고, 아버지와 자기와의 세계가 격리되는 일종의 결별의 심사를 체험하는 때문이었다.

★ 별별 포인트 ★

< '창섭'의 깨달음 >

• 땅에 대한 아버지의 애착과 신념이 강함.
• 땅을 팔고자 했던 자신의 생각이 이기적이었음.

↓

땅을 아끼고 사랑하는 아버지의 마음을 받아들임.

#3 핵심 태그

#　　　에 대한 아버지의 마음을 받아들이고 가치관의 차이를 인정하는 창섭

작품 줄거리 요약하기

앞부분 줄거리

창섭이의 어린 시절, 창섭이의 누이 창옥이는 의사의 오진 때문에 맹장염으로 죽는다. 창섭이는 이 일로 의사가 되리라 다짐했고 결국 서울에서 권위 있는 맹장 수술 전문의가 된다.

창섭이는 병원을 확장하는 데 필요한 돈을 마련하기 위해서 집안에서 대대로 농사지어 온 땅을 팔고, 부모님을 서울로 모셔 가려고 고향에 왔다가 아버지가 동네 사람들과 함께 장마에 망가진 돌다리를 고치고 있는 모습을 보게 된다.

제시 장면 줄거리

창섭이는 아버지에게 서울에 있는 **1**[　　] 을 확장하기 위해 땅을 팔 것과 서울로 함께 가서 살 것을 설득한다. 아버지는 아들의 제안을 생각해 보겠다며 대답을 미루지만, 이내 서울에 가지 않겠다고 한다.

아버지는 천금이 쏟아진대도 땅을 팔 수 없다고 하면서 땅을 소중히 여기지 않고 땅을 함부로 대하는 사람들을 비판한다. 창섭이는 **2**[　] 에 대한 아버지의 신념을 이해하고, 자신과 아버지의 가치관 차이를 받아들인다.

뒷부분 줄거리

창섭이는 그날 저녁차를 타고 바로 서울로 돌아간다. 다음 날 아버지는 창섭이가 떠난 돌다리에서 양치와 세수를 하며 자연의 이치대로 살 것을 다짐한다.

---

01 이 글에 대한 설명으로 맞으면 ○표, 틀리면 ✕표를 하시오.

인물 창섭이는 병원을 운영하는 의사이다. [　]

사건 어머니와 아버지는 서울에 가는 일로 서로 싸운다. [　]

배경 창섭이와 아버지가 대화하는 공간은 서울에 있는 병원이다. [　]

소재 '돌다리'는 전통적 세대의 가치관을 상징한다. [　]

02 '창섭'이 고향에 온 까닭으로 가장 적절한 것은?

① 아버지의 유언을 듣기 위해서
② 무너진 돌다리를 고치기 위해서
③ 고향에 최신식 병원을 짓기 위해서
④ 고향에 내려와 살 준비를 하기 위해서
⑤ 서울의 병원을 확장하는 데 드는 돈을 마련하기 위해서

03 이 글의 주된 갈등 양상으로 적절한 것은?

① 땅을 팔자는 창섭이와 이를 거절하는 아버지의 갈등
② 가업을 이으라는 아버지와 이를 거절하는 창섭이의 갈등
③ 돌다리를 고치는 문제에 대한 마을 사람들과 아버지의 갈등
④ 나무다리를 쓰자는 창섭이와 돌다리를 고집하는 아버지의 갈등
⑤ 서울에서 살고 싶은 어머니와 시골에 남고 싶은 아버지의 갈등

04 **#1**에서 '창섭'이 '아버지'를 설득하려고 제시한 근거로 적절하지 <u>않은</u> 것은?

① 외아들인 자신이 부모님을 모셔야 한다.
② 땅은 돈만 있으면 언제든지 다시 살 수 있다.
③ 손자들이 서울에서 할아버지와 살기를 원한다.
④ 병원에서 얻는 이익이 땅에서 얻는 이익보다 더 크다.
⑤ 한집에 모이려면 자기가 병원을 버리는 것보다 부모님이 서울로 오시는 것이 순리이다.

별별 포인트!
05 **보기**에서 '땅'에 대한 '아버지'의 생각으로 적절한 것을 골라 바르게 묶은 것은?

보기
ㄱ. 이익을 얻기 위해 투자하는 대상이다.
ㄴ. 천금을 준다는 사람에게만 팔아야 한다.
ㄷ. 노력하면 노력한 만큼 결과로 보답해 준다.
ㄹ. 가족들과의 추억이 서려 있는 삶의 터전이다.

① ㄱ, ㄴ   ② ㄱ, ㄷ   ③ ㄴ, ㄷ
④ ㄴ, ㄹ   ⑤ ㄷ, ㄹ

별별 포인트!
06 **#3**에서 느꼈을 '창섭'의 심리로 적절하지 <u>않은</u> 것은?

① 땅에 대한 아버지의 가치관을 인정함.
② 아버지와 자신 사이의 거리감을 느낌.
③ 자신의 생각이 이기적이었음을 반성함.
④ 아버지의 굳은 의지와 신념에 존경심을 느낌.
⑤ 조상들의 공들인 땅을 파는 것에 애석함을 느낌.

별별 포인트!
07 다음 ㉠, ㉡에 들어갈 알맞은 소재를 이 글에서 찾아 각각 쓰시오.

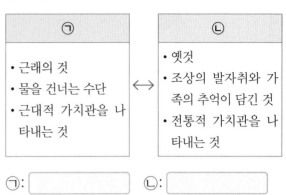

㉠		㉡
• 근래의 것 • 물을 건너는 수단 • 근대적 가치관을 나타내는 것	↔	• 옛것 • 조상의 발자취와 가족의 추억이 담긴 것 • 전통적 가치관을 나타내는 것

㉠: [   ]   ㉡: [   ]

08 **보기**를 참고하여 이 글을 감상할 때, 적절하지 <u>않은</u> 것은?

보기
'토포필리아'는 그리스어로 '장소, 땅'을 뜻하는 '토포스'와 '사랑'을 뜻하는 '필리아'가 합쳐진 말로, 장소에 대한 정서적 유대를 가리키는 말이다. 특정 장소가 단순한 자원을 넘어 깊은 정과 사랑의 대상이 되는 것이다. 그런데 이러한 장소에 대한 정서적 유대는 사람에 따라 강하게 나타나기도 하고 약하게 나타나기도 한다.

① 아버지는 고향 땅에 대한 토포필리아를 강하게 느끼고 있군.
② 용문이, 문보, 덕길이는 땅에 대한 생각이 아버지와 비슷하겠군.
③ 창섭이가 땅을 팔자고 하는 것은 땅에 대한 정서적 유대가 약해서이군.
④ 창섭이는 서울의 병원보다 고향 땅에 토포필리아를 더 강하게 느끼는군.
⑤ 아버지에게 느르지논과 독시장밭은 단순한 자원이 아니라 정과 사랑의 대상이군.

8문제 중에 _____ 문제 맞혔어!

03
역마
김동리

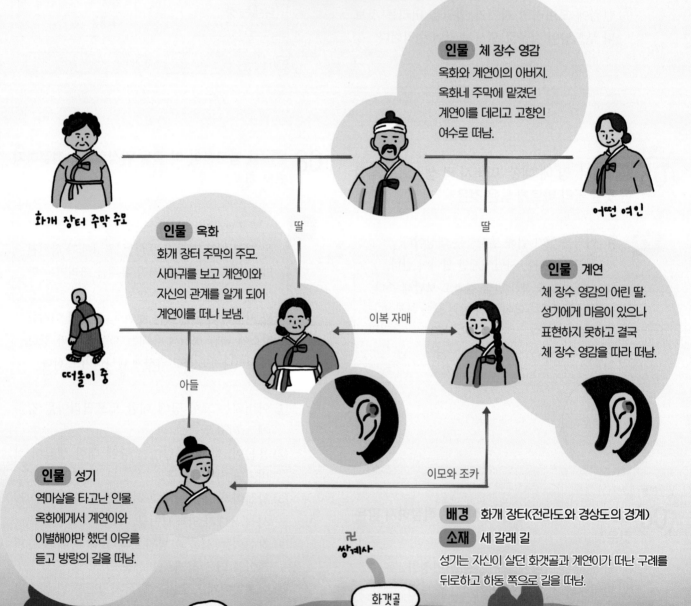

화개 장터 주막 주모

인물 체 장수 영감
옥화와 계연이의 아버지.
옥화네 주막에 맡겼던
계연이를 데리고 고향인
여수로 떠남.

어떤 여인

인물 옥화
화개 장터 주막의 주모.
사마귀를 보고 계연이와
자신의 관계를 알게 되어
계연이를 떠나 보냄.

딸

딸

떠돌이 중

이복 자매

인물 계연
체 장수 영감의 어린 딸.
성기에게 마음이 있으나
표현하지 못하고 결국
체 장수 영감을 따라 떠남.

아들

이모와 조카

인물 성기
역마살을 타고난 인물.
옥화에게서 계연이와
이별해야만 했던 이유를
듣고 방랑의 길을 떠남.

배경 화개 장터(전라도와 경상도의 경계)
소재 세 갈래 길
성기는 자신이 살던 화갯골과 계연이가 떠난 구례를
뒤로하고 하동 쪽으로 길을 떠남.

권
쌍계사

화갯골

구례

하동

섬진강

장면 포인트 》 옥화와 계연이, 성기와 계연이의 관계가 어떻게 얽혀 있는지 알아보고, 이러한 관계를 알게 된 인물들이 어떤 태도를 보이는지 정리하며 읽어 보자.

#1 "아가, 잘 가거라." / 옥화는 계연의 조그만 보따리에다 돈이 든 꽃주머니 하나를 정표로 넣어 주며 하직을 하였다.

_{먼 길을 떠날 때 웃어른께 작별을 고하는 것.}

계연은 애걸하듯 호소하듯한 붉은 두 눈으로 한참 동안 옥화의 얼굴을 쳐다보고만 있었다.

"또, 오너라." / 옥화는 계연의 머리를 쓸어 주며 다만 이렇게 말하였고, 그러자 계연은 옥화의 가슴에다 얼굴을 묻으며 엉엉 소리를 내어 울기 시작하였다.

옥화가 그녀의 그 물결같이 흔들리는 동그스름한 어깨를 쓸어 주며,

"그만 울어, 아버지가 저기 기다리고 계신다."

하는 음성도 이젠 아주 풀이 죽어 있었다.

"그럼 편히 계시오." / 영감은 옥화에게 하직을 하였다.

"할아버지 거기 가 보시고 살기 여의찮거든 여기 와서 우리하고 함께 삽시다."

_{일이 마음먹은 대로 되지 않거든.}

옥화는 또 한 번 이렇게 당부하는 것이었다.

✼"오빠, 편히 사시오." / 계연은 이미 시뻘겋게 된 두 눈으로 성기의 마지막 시선을 찾으며 하직 인사를 했다.

성기는 계연의 이 말에, 꿈을 깬 듯 마루에서 벌떡 일어나, 계연의 앞으로 당황히 몇 걸음 어뜩어뜩 걸어오다간, 돌연히 다시 정신이 나는 듯, 그 자리에 화석처럼

_{머리가 몹시 어지러워 자꾸 정신을 잃고 까무러칠 듯한 모양.}

발이 굳어 버린 채, ✼한참 동안 장승같이 계연의 얼굴만 멍하게 바라보고 있었다.

_{돌이나 나무에 사람의 얼굴을 새겨서 마을 어귀에 세운 푯말.}

✼"오빠, 편히 사시오." / 이렇게 두 번째 하직을 하는 순간까지도, 계연의 그 시뻘건 두 눈은 역시 성기의 얼굴에서 그 어떤 기적과도 같은 구원만을 기다리는 것

_{어려움이나 위험에 빠진 사람을 구하여 줌.}

이었고, 그러나 성기는 그 자리에 그냥 주저앉아 버릴 뻔하던 것을 겨우 버드나무 가지를 움켜잡을 수 있었을 뿐이었다.

계연의 시뻘겋게 상기한 얼굴은, 옥화와 그의 아버지가 그들을 지켜보고 있다는 것도 잊은 듯이 성기의 얼굴만 뚫어지게 바라보고 있었으나, 버드나무에 몸을 기댄 ✼성기의 두 눈엔 다만 불꽃이 활활 타오를 뿐, 아무런 새로운 명령도 기적도 나타나지 않았다.

✼"오빠, 편히 사시오." / 하고, 거의 울음이 다 된, 마지막 목소리를 남기고 돌아선 계연의 저만치 가고 있는 항라 적삼을, 고운 햇빛과 늘어진 버들가지와 산울

_{명주, 모시, 무명실로 짠 여름용 옷감으로 만든 한복 윗도리.}

림처럼 울려오는 뻐꾸기 울음 속에, ✼성기는 우두커니 지켜보고 있을 뿐이었다.

★ 별별 포인트 ★

〈 이별을 대하는 인물의 태도 〉

계연

작별 인사만 반복하며, 성기가 적극적으로 행동해 주기를 바람.

성기

떠나는 계연이를 마지막까지 지켜보기만 할 뿐임.

장터 위를 지나, 비스듬히 올라간 산모퉁이를 돌아 길은 구례 쪽으로 나고, 모퉁이를 도는 곳에 늙은 소나무 한 그루가 서 있었다. 계연은 이 소나무 밑까지 오자 소나무 둥치에다 얼굴을 대고 서서 한나절 동안이나 소리를 내어 울고 갔다……

큰 나무의 밑동.

하는 것을, 그러나 그 이듬해 늦은 봄에야 성기는 알게 되었다.

#2 성기가 다시 자리에서 일어나게 된 것은 이듬해 우수도 경칩도 다 지나, 청명 무렵의 비가 질금거릴 무렵이었다.

이십사절기. 우수는 2월 18일 무렵, 경칩은 3월 5일 무렵, 청명은 4월 5일 무렵.

주막 앞에 늘어선 버들가지는 다시 실같이 푸르러지고 살구, 복숭아, 진달래들이 골목 사이로 산기슭으로 울긋불긋 피고 지고 하는 날이었다.

아들의 미음상을 차려 들고 들어온 옥화는 성기가 미음 그릇을 비우는 것을 보자 이렇게 물었다.

쌀에 물을 충분히 붓고 푹 끓여 체에 걸러 낸 걸쭉한 음식.

"아직도, 너, 강원도 쪽으로 가 보고 싶냐?"

"……."

성기는 조용히 고개를 돌렸다.

"여기서 장가들어 나랑 같이 살겠냐?"

"……."

성기는 역시 고개를 돌렸다.

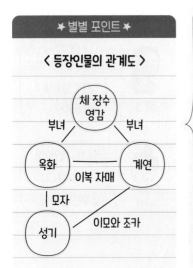
그해 아직 봄이 오기 전, 보는 사람마다, 성기의 회춘을 거의 다 단념하곤 하였을 때 옥화는, 이왕 죽고 말 것이라면, 어미의 맘속이나 알고 가라고, 그래, 그 체

큰 병에서 회복되어 건강을 되찾음.

장수 영감은, 서른여섯 해 전 남사당을 꾸며 와 이 화개 장터에 하룻밤을 놀고 갔

가루를 곱게 치거나 액체를 받거나 거르는 데 쓰는 기구.

다는 자기의 아버지임에 틀림이 없었다는 것과, 계연은 그 왼쪽 귓바퀴 위의 사마

무리를 지어 이곳저곳 떠돌아다니면서 소리나 춤을 팔던 남자.

귀로 보아 자기의 동생임이 분명하더라는 것을, 통정하노라면서, 자기의 같은 왼

겉귀의 드러난 가장자리 부분.

쪽 귓바퀴 위의 검정 사마귀까지를 그에게 보여 주었다.

딱하고 안타까운 형편을 털어놓고 말하노라면서.

"나도 처음부터 영감이 '서른여섯 해 전'이라고 했을 때 가슴이 섬찟하긴 했다. 그렇지만 설마 했지 그렇게 남의 간을 뒤집어 놀 줄이야 알았나. 하도 아슬해서 이튿날 악양으로 가 무당까지 불러 봤더니, 요것도 남의 속을 빤히 들여다보는 듯이 재잘대는구나, 차라리 망신을 했지."

옥화는 잠깐 말을 그쳤다. 성기는 두 눈에 불을 켜듯한 형형한 광채를 띠고, 그 어머니의 얼굴을 쳐다보고 있었다.

"차라리 몰랐으면 또 모르지만 한번 알고 나서야 인륜이 있는데 어쩌겠냐."

부모자식, 형제, 부부 사이에서 지켜야 할 도리.

그리고 부디 어미 야속타고나 생각지 말라고, 옥화는 아들의 뼈만 남은 손을 눈

무정한 행동이나 그런 행동을 한 사람이 섭섭하게 여겨져 언짢다고나.

물로 씻었다.

옥화의 이 마지막 하직같이 하는 통정 이야기에 의외로 성기는 도로 힘을 얻은 모양이었다. 그 불타는 듯한 형형한 두 눈으로 천장을 한참 바라보고 있던 성기는

<small>광선이나 광채가 반짝반짝 빛나며 밝은.</small>

무슨 새로운 결심이나 하듯 입술을 지그시 깨물고 있었다.

아버지를 찾아 강원도 쪽으로 가 볼 생각도 없다, 집에서 장가들어 살림을 할 생각도 없다, 하는 아들에게 그러나, 옥화는 이제 전과 같이 고지식한 미련을 두

<small>성질이 외곬으로 곧아 융통성이 없는.</small>

는 것도 아니었다. / "그럼 어쩔라냐? 너 좋을 대로 해라."

"……." / 성기는 아무런 말도 없이 도로 자리에 드러누워 버렸다.

#3 그러고 나서 한 달포나 넘어 지난 뒤였다. / 성기가 좋아하는 여러 가지 산나

<small>한 달이 조금 넘는 기간.</small>

물이 화갯골에서 연달아 자꾸 내려오는 이른 여름의 어느 장날 아침이었다. 두릅 회에 막걸리 한 사발을 쭉 들이켜고 난 성기는 옥화더러,

"어머니, 나 엿판 하나만 맞춰 주." / 하였다.

"……." / 옥화는 갑자기 무엇으로 머리를 얻어맞은 듯이 성기의 얼굴을 멍하니 바라보고 있었다.

그런 지도 다시 한 보름이나 지나, 뻐꾸기는 또다시 산울림처럼 건드러지게 울고, 늘어진 버들가지엔 햇빛이 젖어 흐르는 아침이었다. 새벽녘에 잠깐 가는 비가 지나가고, 날은 다시 유달리 맑게 갠 화개 장터 삼거리 길 위에서, 성기는 그 어머니와 하직을 하고 있었다. 갈아입은 옥양목 고의적삼에 명주 수건까지 머리에 질

<small>희고 얇은 무명으로 만든 여름에 입는 홑바지와 저고리.</small>

끈 동여매고 난 성기는, 새로 맞춘 새하얀 나무 엿판을 걸빵해서 느직하게 엉덩이

<small>좀 느슨하게.</small>

즈음에다 걸었다. 윗목판에는 새하얀 가락엿이 반나마 들어 있었고, 아랫목판에는 팔다 남은 이야기책 몇 권과 간단한 방물이 좀 들어 있었다.

<small>여자가 쓰는 화장품, 바느질 기구, 장신구 등의 물건.</small>

그의 발 앞에는, ✤ 물과 함께 갈리어 길도 세 갈래로 나 있었으나, 화갯골 쪽엔 처음부터 등을 지고 있었고, 동남으로 난 길은 하동, 서남으로 난 길이 구례, 작년 이맘때도 지나 그녀가 울음 섞인 하직을 남기고 체 장수 영감과 함께 넘어간 산모퉁이 고갯길은 퍼붓는 햇빛 속에 지금도 환히 장터 위를 굽이돌아 구례 쪽을 향했으나, 성기는 한참 뒤, 몸을 돌렸다. 그리하여 ✤ 그의 발은 구례 쪽을 등지고 하동 쪽을 향해 천천히 옮겨졌다.

한 걸음, 한 걸음, 발을 옮겨 놓을수록 그의 마음은 한결 가벼워져, 멀리 버드나무 사이에서 그의 뒷모양을 바라보고 서 있을 그의 어머니의 주막이 그의 시야에서 완전히 사라져 갈 무렵 하여서는, 육자배기 가락으로 제법 콧노래까지 흥얼거

<small>남도 지방에서 부르던 민요.</small>

리며 가고 있는 것이었다.

#2 핵심 태그

성기에게 검정 #[   ]를 보여 주며 계연이와 자신의 관계를 밝히는 옥화

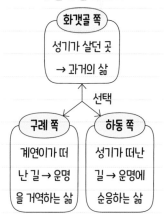

★ 별별 포인트 ★

< '성기' 앞에 놓인 '세 갈래 길'의 의미>

화갯골 쪽
성기가 살던 곳
→ 과거의 삶

선택

구례 쪽
계연이가 떠난 길 → 운명을 거역하는 삶

하동 쪽
성기가 떠난 길 → 운명에 순응하는 삶

#3 핵심 태그

#[   ], 하동, 구례로 난 세 갈래 길에서 하동 쪽을 향해 길을 떠나는 성기

작품 줄거리 요약하기

앞부분 줄거리

화개 장터에서 주막을 하고 있는 옥화는 아들 성기의 타고난 역마살을 없애기 위해 성기를 쌍계사에서 생활하게 하고 장날에만 집에 오게 한다. 어느 날 체 장수 영감이 딸 계연이를 주막에 맡기고 장삿길을 떠난다. 성기와 계연이가 서로 관심을 보이자 옥화는 둘을 결혼시켜 성기의 역마살을 막으려고 한다.

계연이의 왼쪽 귓바퀴 위에 난 사마귀를 보고 계연이가 자신의 동생이 아닐까 의심하게 된 옥화는 성기와 계연이가 가까이 지내지 못 하게 한다. 얼마 뒤 체 장수 영감이 주막으로 찾아와 들려 준 36년 전 이야기를 통해 계연이가 옥화의 이복동생임이 밝혀진다. 체 장수 영감은 계연이를 데리고 고향인 여수로 떠나겠다고 하고, 성기와 계연이를 이어지게 둘 수 없었던 옥화는 계연이를 떠나보내기로 한다.

제시 장면 줄거리

성기와 계연이는 서로에게 마음이 있지만, 계연이가 체 장수 영감과 떠나는 순간까지 마음을 표현하지 못하고 결국 이별한다. 계연이가 떠나자 성기는 앓아눕고, 이 모습이 안타까운 옥화는 자신의 아버지가 ① ☐☐☐ 영감이며 계연이는 자신의 이복동생이라는 사실을 털어놓는다. 이 사실을 알게 된 성기는 기운을 차리고 일어난다.

이른 여름 어느 장날에 성기는 옥화에게 엿판을 맞춰 달라고 하고, 결국 유랑의 길을 떠난다. 성기는 화갯골, 하동, 구례로 난 세 갈래 길 중 ② ☐☐ 으로 가는 길로 향하며 콧노래를 흥얼거린다.

오엑스 확인 문제

01 이 글에 대한 설명으로 맞으면 ○표, 틀리면 ✕표를 하시오.

인물 옥화는 장터에서 주막을 하고 있다. ☐

사건 성기와 계연이는 결국 다시 만난다. ☐

배경 '화개 장터'는 만남과 헤어짐이 반복되는 장소이다. ☐

소재 '엿판'은 성기가 떠돌아다니는 삶을 선택했음을 보여 준다. ☐

02 '계연'이 다음과 같은 작별 인사를 반복한 이유로 가장 적절한 것은?

> "오빠, 편히 사시오."

① 성기에 대한 마음을 정리했기 때문에
② 바라보고만 있는 성기에 대한 원망 때문에
③ 성기가 자신을 붙잡아 주기를 바라기 때문에
④ 다시 성기에게 돌아가겠다고 한 약속 때문에
⑤ 성기와 옥화가 잘살기를 바라는 마음 때문에

03 '성기' 앞에 놓인 '세 갈래 길'의 의미로 적절하지 않은 것은?

① A, B, C는 성기가 선택할 앞으로의 삶을 상징한다.

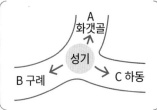

② A, B, C는 모두 운명을 거스르는 방향이다.
③ A로 가면 정착하여 어머니 옥화와 살 수 있다.
④ B로 가면 계연이를 다시 만나 함께 살 수 있다.
⑤ C로 가면 이리저리 떠돌아다니며 살 수 있다.

특별 포인트! ✿

04 등장인물 간의 관계를 보기와 같이 정리할 때, 등장인물에 대한 설명으로 적절하지 않은 것은?

보기

```
        주모 ── 체 장수 ── 어떤
                  영감       여인
         │        │          │
         딸      이복        딸
떠돌이            자매
  중  ── 옥화 ←──────→ 계연
         │
        아들      이모와
         │        조카
        성기 ←──────
```

① 성기는 계연이가 자신의 이모라는 것을 알고 운명을 받아들였다.
② 계연이는 성기와 이별할 때 옥화가 자신의 언니라는 사실을 몰랐다.
③ 옥화는 체 장수 영감과 계연이에게 혈육의 정을 간접적으로 드러내었다.
④ 체 장수 영감은 딸 옥화를 만나기 위해 일부러 계연이와 화개 장터에 왔다.
⑤ 옥화는 아버지, 남편, 아들에 이르기까지 떠도는 삶을 살아야 하는 이들과 관계가 있다.

05 보기를 통해 알 수 있는 이 글의 갈등 양상으로 가장 적절한 것은?

보기

성기의 바람	성기의 현실
사랑하는 계연이와 결혼하여 한곳에 정착하고 싶음. ↔	역마살에 의해 여기저기 떠돌아다니며 살아야 함.

① 인물과 집단 간의 갈등
② 인물과 사회 제도와의 갈등
③ 인물과 다른 인물 사이의 갈등
④ 인간과 거스를 수 없는 운명 간의 갈등
⑤ 한 인물의 마음속에서 일어나는 내적 갈등

06 보기에서 설명하는 것을 #1에서 찾아 한 단어로 쓰시오.

보기
• 옥화가 계연이와 이별할 때 건네준 것
• 계연이에 대한 옥화의 미안하고도 애틋한 마음을 드러내는 소재

_____

07 보기를 참고하여, 이 글을 감상한 내용으로 적절하지 않은 것은?

보기
　삼대에 걸친 역마살, 옥화와 성기의 출생, 계연이가 성기의 이모라는 사실이 드러나는 계기 등 이 글의 사건은 우연에 의해 이루어진다. 하지만 이 우연들은 김동리의 소설에서는 운명이 된다. 등장인물들의 삶은 자신의 의지나 선택이 아니라 우연으로 이루어진 운명에 의해 이미 결정되어 있는 것이다.

① 옥화는 성기가 운명을 거스르고 화갯골에서 장가들어 살기를 바랐군.
② 아픈 성기가 자리에서 일어나게 된 계기는 운명을 극복하려는 의지였겠군.
③ 옥화가 계연이의 사마귀를 발견한 것은 운명에 의해 이미 결정된 것이겠군.
④ 성기와 계연이의 사랑이 이루어지지 않은 것은 성기의 삼대에 걸친 역마살 때문이겠군.
⑤ 성기가 하동으로 가면서 콧노래를 부르는 것은, 자신의 운명에 순응하는 홀가분함 때문이겠군.

소설 03

115

7문제 중에
_____ 문제 맞혔어!

04

진달래꽃

김소월

시어 진달래꽃
시적 화자의 분신으로 임에 대한
사랑과 정성을 나타냄.

표현 반어적 표현
자신의 속마음을 반대로
표현하여 애절한 마음을
강조하고 있음.

속마음

화자 전통적인 여성 화자
이별의 정한을 노래하는 전통적인 여성 화자로,
이별의 상황이 오더라도 슬픔을 참겠다고 하고 있음.

읽기 포인트 » 화자가 만약 임이 자기를 버리고 가더라도 겉으로는 슬퍼하지 않겠노라며 속마음과 반대로 말한 까닭과, '진달래꽃'의 상징적 의미를 파악하며 읽어 보자.

나 보기가 역겨워

가실 때에는

말없이 고이 보내 드리우리다

영변에 약산
평안북도 서쪽에 있는 지역과 그 지역에 있는 산.
☀진달래꽃

아름 따다 가실 길에 뿌리우리다
두 팔을 둥글게 모아 만든 둘레 안에 들 만한 분량을 세는 단위.

가시는 걸음걸음

놓인 그 꽃을

사뿐히 즈려밟고 가시옵소서
'지르밟고'의 비표준어. 위에서 내리눌러 밟고.

나 보기가 역겨워

가실 때에는

☀죽어도 아니 눈물 흘리우리다

핵심 태그

임이 떠난다면 가시는 길에 ❶ # 　　　을 뿌리겠다는 화자

임이 떠나도 결코 ❷ # 　　　을 흘리지 않겠다는 화자

★ 별별 포인트 ★

< '진달래꽃'의 의미 >

화자의 분신 ｜ 자기희생적 자세

임에 대한 사랑과 정성 ｜ 붉고 선명한 마음

★ 별별 포인트 ★

<시구의 반어적 의미>

죽어도 아니 눈물 흘리우리다

표면적 의미	내면적 의미
슬퍼도 꾹 참고 임을 보내 드리겠다.	매우 슬퍼하며 제발 떠나지 말라고 말하고 싶다.

⇒ 화자의 실제 마음과 반대로 표현하여 임에 대한 화자의 애절한 마음을 강조함.

나 보기가 역겨워
가실 때에는
말없이 고이 보내 드리우리다

영변에 약산
㉠진달래꽃
아름 따다 가실 길에 뿌리우리다

가시는 걸음걸음
놓인 그 꽃을
사뿐히 즈려밟고 가시옵소서

나 보기가 역겨워
가실 때에는
죽어도 아니 눈물 흘리우리다

01 이 시에 대한 설명으로 맞으면 ○표, 틀리면 ×표를 하시오.

화자 화자는 임과 직접 대화를 하고 있다.

시어 '진달래꽃'은 임에 대한 화자의 마음을 나타낸다.

표현 화자는 실제 속마음과 반대로 표현하고 있다.

02 이 시를 감상한 내용으로 적절하지 <u>않은</u> 것은?

① '-우리다'라는 말을 반복하여 리듬감을 주고 있어.
② 첫 연의 내용과 끝 연의 내용이 비슷해서 안정감이 느껴져.
③ 대조적인 이미지의 시어를 사용하여 주제를 드러내고 있어.
④ '영변'과 '약산'이라는 구체적 지명을 활용하여 향토적 분위기를 형성하고 있어.
⑤ '아니 눈물 흘리우리다'에서는 '아니'와 '눈물'의 어순을 바꾸어 의미를 강조하고 있어.

03 이 시의 화자에 대한 설명으로 가장 적절한 것은?

① 이별의 원인을 임에게 돌리고 있다.
② 임과 이별했던 순간을 회상하고 있다.
③ 임에게 애정이 식어 임을 떠나고 있다.
④ 임이 언젠가는 돌아오리라고 확신하고 있다.
⑤ 임이 떠나더라도 슬픔을 참고 견디려 하고 있다.

04 ㉠에 대한 설명으로 적절하지 <u>않은</u> 것은?

① 화자의 분신과도 같은 존재이다.
② 임에 대한 화자의 사랑을 의미한다.
③ 임에 대한 자기희생적 태도를 보여 준다.
④ 임과 화자가 맞이할 밝은 앞날을 나타낸다.
⑤ 임에 대한 사랑을 붉고 선명한 이미지로 드러
  낸다.

05 4연에 나타난 화자의 태도를 한자 성어로 표현한 것으로 가장 적절한 것은?

① 애이불비(哀而不悲)
② 산화공덕(散花功德)
③ 안하무인(眼下無人)
④ 동병상련(同病相憐)
⑤ 유아독존(唯我獨尊)

06 이 시에서 보기 의 밑줄 친 부분이 가장 잘 드러나 있는 시행을 찾아 쓰시오.

> 보기
>
> '페르소나'는 그리스어로 '가면'을 나타내는 말로, '가면을 쓴 인격'을 뜻한다. 누구나 한 개 이상은 가지고 있는 것으로, 남에게 보여 주고 싶은 내 모습인 것이다. 반면 '에고'는 '페르소나' 뒤에 숨어 있는 진짜 자신의 모습이다. '페르소나'와 '에고'는 <u>한 인간의 겉모습과 속마음이 얼마든지 다를 수 있다</u>는 사실을 보여 준다.

07 화자의 태도 변화를 다음 표에 정리할 때, 빈칸에 들어갈 말을 보기 에서 찾아 쓰시오.

> 보기
>
> 축복　　희생　　극복　　체념

	각 연의 내용	화자의 태도
1연	임과 이별하는 상황을 가정하여 이를 묵묵히 받아들임.	
2연	떠나는 임의 행복을 빌 정도로 임에 대한 사랑이 깊음.	
3연	화자의 분신인 진달래꽃을 밟고 가라고 할 정도로 임을 사랑함.	
4연	괴로움을 참는 의지로 이별의 슬픔을 견디겠다는 자세를 보임.	

08 이 시와 보기 의 공통점으로 가장 적절한 것은?

> 보기
>
> 아리랑 아리랑 아라리요.
> 아리랑 고개로 넘어간다.
> 나를 버리고 가시는 임은
> 십 리도 못 가서 발병 난다.
>
> － 작자 미상, 「아리랑」

① 이별의 정한을 노래하고 있다.
② 불가능한 상황을 가정하고 있다.
③ 화자가 이별을 적극적으로 거부하고 있다.
④ 화자가 사랑하는 임과의 추억을 떠올리고 있다.
⑤ 임을 위해 희생하는 화자의 모습이 나타나 있다.

8문제 중에
_____문제 맞혔어!

05
돌담에 속삭이는 햇발
김영랑

시어 샘물

시어 부끄럼

시어 하늘
화자가 우러르고 싶고, 바라보고 싶은
에메랄드 빛의 푸른 하늘임.

시어 햇발

봄 하늘을
바라보고 싶어!

시어 물결

표현 비유적 표현
화자는 '~같이'라는 말을 사용하여
'내 마음'을 곱고 밝고 아름다운 여러 대상에
직접 빗대어 표현하고 있다.

화자 시적 정서가 가득한 '나'
'나'라는 화자가 겉으로 드러나 있으며, 시적
정서가 가득한 마음으로 하늘을 바라보고 싶어 함.

읽기 포인트 》 아름다운 봄 하늘을 바라보고 싶은 화자의 소망이 담긴 시이다. 이러한 소망을 담고
있는 표현들과 화자의 마음을 생각하면서 시를 소리 내어 읽어 보자.

돌담에 속삭이는 ✭햇발같이
　　　　　　　사방으로 뻗친 햇살.
풀 아래 웃음 짓는 ✭샘물같이

내 마음 고요히 고운 봄 길 위에

오늘 하루 하늘을 우러르고 싶다.
　　　　　　위를 향하여 고개를 정중히 쳐들고.

새악시 볼에 떠오르는 ✭부끄럼같이
새색시. 새로 갓 결혼한 여자.
시의 가슴에 살포시 젖는 ✭물결같이

보드레한 에메랄드 얇게 흐르는
꽤 보드라운 느낌이 있는.
실비단 하늘을 바라보고 싶다.

핵심 태그

봄 **①** # 　　　 을
우러르고 싶은 마음

② # 　　　 같은 봄
하늘을 바라보고 싶은
마음

[01~09] 다음 시를 읽고 물음에 답하시오.

돌담에 속삭이는 햇발같이
풀 아래 웃음 짓는 샘물같이
㉠내 마음 고요히 고운 봄 길 위에
오늘 하루 하늘 을 우러르고 싶다.

새악시 볼에 떠오는 부끄럼같이
㉡시의 가슴에 살포시 젖는 물결같이
보드레한 에메랄드 얇게 흐르는
실비단 하늘을 바라보고 싶다.

오엑스 확인 문제

01 이 시에 대한 설명으로 맞으면 ○표, 틀리면 ✕표를 하시오.

화자 ── 화자가 겉으로 드러나 있다. ──○

시어 ── 밝고 아름다운 느낌을 주는 시어들이 사용되었다. ──○

표현 ── 1연에 드러난 화자의 정서와 2연에 드러난 화자의 정서가 대비되고 있다. ──○

02 이 시에 대한 설명으로 적절하지 <u>않은</u> 것은?

① 각 연의 마지막 행에 주제가 모아지고 있다.
② 1연은 과거를, 2연은 현재를 보여 주고 있다.
③ 계절적 배경은 봄이고, 공간적 배경은 길이다.
④ 다양한 심상이 사용되어 감각적인 느낌을 준다.
⑤ 봄 하늘을 우러르고 싶은 화자의 소망이 나타난다.

03 이 시의 일부분을 소리 내어 읽으려고 한다. 끊어 읽어야 할 곳에 **보기**와 같이 ∨표를 하시오.

보기
봄바람∨하늘하늘∨넘노는 길에
연분홍∨살구꽃이∨눈을 틉니다.
　　　　　　　　　　　　－ 김억, 「연분홍」

돌담에 속삭이는 햇발같이
풀 아래 웃음 짓는 샘물같이

04 이 시에서 운율을 느낄 수 있는 이유로 적절하지 **않은** 것은?

① 각 연의 1행과 2행이 대구를 이루고 있어서
② 규칙적으로 7자와 5자의 글자 수가 반복되고 있어서
③ 같은 위치에서 '~는', '~같이'라는 소리가 반복되고 있어서
④ 1연과 2연을 이루는 각 행이 비슷한 구조로 연을 구성하고 있어서
⑤ 울림소리인 자음 'ㄴ, ㄹ, ㅁ'이 들어간 시어들을 사용하고 있어서

05 다음 시행과 같은 심상이 쓰인 것은?

> 보드레한 에메랄드 얇게 흐르는

① 간간하고 짭조롬한 미역
② 뒷문 밖에는 갈잎의 노래
③ 젊은 아버지의 서느런 옷자락
④ 눈을 뜨면 멀리 기계 굴러가는 소리
⑤ 어마씨 그리운 솜씨에 향그러운 꽃지짐

06 보기에서 '하늘'이 나타내는 의미로 적절한 것을 골라 바르게 묶은 것은?

보기
> ㄱ. 계절의 순환을 의미한다.
> ㄴ. 화자가 동경하는 대상을 나타낸다.
> ㄷ. 화자가 만나고 싶은 신적인 존재이다.
> ㄹ. 평화롭고 순수한 이상 세계를 뜻한다.

① ㄱ, ㄴ   ② ㄱ, ㄷ   ③ ㄱ, ㄹ
④ ㄴ, ㄹ   ⑤ ㄷ, ㄹ

07 보기에서 설명하고 있는 표현이 나타난 시행을 이 시에서 모두 찾아 쓰시오.

보기
> 의인법은 사람이 아닌 대상을 사람처럼 말하고 행동하는 듯이 표현하는 방법을 말한다. 의인법을 사용하면 시적 대상에게 친근감을 느끼게 할 수 있다.
> ㉠ 시계들이 낭랑한 목소리로 말을 걸어온다.
> ⇒ 시계가 사람처럼 말을 걸어온다고 표현함.

_____

_____

08 ㉠을 비유한 시어로 적절하지 **않은** 것은?

① 햇발   ② 샘물
③ 부끄럼   ④ 물결
⑤ 에메랄드

09 ㉡의 의미로 가장 적절한 것은?

① 외롭고 쓸쓸한 마음
② 시를 외우고 싶은 마음
③ 시적 정서가 가득한 마음
④ 사랑하는 이를 그리워하는 마음
⑤ 하늘로 훨훨 날아가고 싶은 마음

05 돌담에 속삭이는 햇발

9문제 중에

_____ 문제 맞혔어!

어휘로 마무리

기억해 보자!

01 동백꽃   02 돌다리   03 역마
04 진달래꽃   05 돌담에 속삭이는 햇발

01 밑줄 친 어휘와 뜻이 반대인 어휘를 찾아 연결하시오.

한줌 Hint ☝★
밑줄 친 말 대신에 ㉠, ㉡, ㉢의 어휘를 넣었을 때 의미가 반대인 경우를 찾는다.

(1) 각 층에 수도와 가스가 다 들어온 것, 그러면서도 가격은 <u>염한</u> 것

• ㉠ 솟는

(2) 알싸한, 그리고 향긋한 그 냄새에 나는 땅이 꺼지는 듯이 온 정신이 고만 아찔하였다.

• ㉡ 늦은

(3) 성기가 좋아하는 여러 가지 산나물이 화갯골에서 연달아 자꾸 내려오는 <u>이른</u> 여름의 어느 장날 아침이었다.

• ㉢ 비싼

02 밑줄 친 '길'과 의미가 가장 먼 것은?

한줌 Hint ☝★
'길'에는 공간의 의미 외에도 지향하는 방향, 도리나 임무, 방법이나 수단, 어떤 일을 하는 도중이나 기회 등 다양한 의미가 있다.

새벽녘에 잠깐 가는 비가 지나가고, 날은 다시 유달리 맑게 갠 화개 장터 삼거리 <u>길</u> 위에서, 성기는 그 어머니와 하직을 하고 있었다.

① 우리는 한적한 길로 걸어갔다.
② 모퉁이를 돌면 큰 길이 나옵니다.
③ 학교에서 돌아오는 길에 서점에 들렀다.
④ 논 옆에 길을 내서 다니기가 수월해졌다.
⑤ 길이 막혀 평소보다 시간이 많이 걸렸다.

03 밑줄 친 '피땀'의 의미로 가장 적절한 것은?

한줌 Hint ☝★
두 개의 어휘가 합쳐져 하나의 어휘가 될 때, 원래의 의미뿐 아니라 새로운 의미를 만들기도 한다.

"천금이 쏟아진대두 난 땅은 못 팔겠다. 내 아버님께서 손수 이룩허시는 걸 내 눈으루 본 밭이구, 내 할아버님께서 손수 <u>피땀</u>을 흘려 모으신 돈으루 장만허신 논들이야."

① 피와 땀   ② 꿈과 용기   ③ 노력과 정성
④ 순수한 결실   ⑤ 고통과 괴로움

04 다음 문장을 읽고, 문맥에 알맞은 어휘를 고르시오.

한줄 Hint ✐★
소리는 같지만 뜻이 전혀 다른 말이다.

(1) 그리고 나서 한 달포나 ⎰너머 / 넘어⎱ 지난 뒤였다.

(2) 성기는 무슨 새로운 결심이나 하듯 입술을 ⎰지긋이 / 지그시⎱ 깨물고 있었다.

(3) 나는 하릴없이 닭을 ⎰반듯이 / 반드시⎱ 눕히고 그 입에다 궐련 물부리를 물리었다.

05 다음 뜻을 참고할 때, 빈칸에 들어갈 어휘로 가장 적절한 것은?

한줄 Hint ✐★
(1)은 「돌담에 속삭이는 햇발」, (2)는 「진달래꽃」의 일부이다.

(1) 꽤 보드라운 느낌이 있는.

[　　] 에메랄드 얇게 흐르는

㉠ 보드레한
㉡ 몰랑거리는
㉢ 두둘두둘한

(2) 몸과 마음이 아주 가볍고 시원하게.

[　　] 즈려밟고 가시옵소서.

㉠ 말끔히
㉡ 사뿐히
㉢ 당당히

06 빈칸에 공통으로 들어갈 말로 가장 적절한 것은?

한줄 Hint ✐★
빈칸의 앞 내용은 원인, 뒷 내용은 결과이다.

• 그리고 나는 멍하니 섰다가 점순이가 매섭게 눈을 흡뜨고 닥치는 [　　]에 뒤로 벌렁 나자빠졌다.
• 그 [　　]에 나의 몸뚱이도 겹쳐서 쓰러지며 한창 피어 퍼드러진 노란 동백꽃 속으로 폭 파묻혀 버렸다.

① 지경　② 상태　③ 바람
④ 덕분　⑤ 형편

별별 소재

어휘로 마무리

07 다음 장면에서 '나'에게 해 줄 수 있는 말로 가장 적절한 것은?

한줌 Hint ✦

한자 성어의 뜻을 모르더라도, 뒤에 나오는 문장을 보고 답을 유추할 수 있다.

ㄱ '다다익선(多多益善)'이라고 했어. 이제 점순이네 수탉한테도 고추장 물을 먹여 보자.

ㄴ '개과천선(改過遷善)'이라는 말이 있듯이, 너도 이제는 닭싸움은 잊고 착하게 살도록 해.

ㄷ '무지몽매(無知蒙昧)'하구나. 수탉한테 고추장 물을 먹인다고 싸움을 잘하게 되는 것이 아니야.

08 밑줄 친 부분과 의미가 통하는 속담으로 가장 적절한 것은?

한줌 Hint ✦

밑줄 친 문장의 앞뒤 문장을 읽어, 땅에 금비를 넣는 것에 대한 아버지의 태도를 파악해 본다.

"땅을 밟구 다니니까 땅을 우섭게들 여기지? 땅처럼 응과가 분명헌 게 무어냐? 하늘은 차라리 못 믿을 때두 많다. 그러나 힘들이는 사람에겐 힘들이는 만큼 땅은 반드시 후헌 보답을 주시는 거다. 세상에 흔해 빠진 지주들, 땅은 작인들헌테나 맡겨 버리고, 떡 도회지에 가 앉어 소출은 팔어다 모다 도회지에 낭비해 버리구, 땅 가꾸는 덴 단돈 일 원을 벌벌 떨구, 땅으루 살며 땅에 야박한 놈은 자식으로 치면 후레자식인 셈이야. 땅이 말을 할 줄 알어 봐라? 배가 고프단 땅이 얼마나 많을 테냐? 해마다 걷어만 가구 땅은 자갈밭이 되니 아나? 둑이 떠나가니 아나? 거름 한 번을 제대로 넣나? 정 급허게 돼 작인이 우는소리나 해야 요즘 너희 신의들 주사침 놓듯, 애꿎은 금비만 갖다 털어 넣지. 그렇게 땅을 홀대를 허군 인제 죽어서 땅이 무서워서 어디루들 갈 텐구!"

ㄱ 가는 날이 장날

ㄴ 언 발에 오줌 누기

ㄷ 구슬이 서 말이라도 꿰어야 보배

MEMO

메모하는곳!

초등
수능
독해

문학
2

가이드북

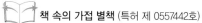

visang

초등

수능
독해

문학 2 | 개화기부터
일제 강점기까지

가이드북

작품 이름	중등 교과서	고등 교과서	대학 수학 능력 시험	평가원 모의 평가	전국 연합 학력 평가
별별 인물					
01 유자소전 _ 이문구	○	○			○
02 장마 _ 윤흥길		○	○		○
03 자전거 도둑 _ 박완서	○	○			○
04 가난한 사랑 노래 _ 신경림	○	○	○		
05 괜찮아 _ 장영희	○				
별별 사건					
01 소음 공해 _ 오정희	○				
02 일용할 양식 _ 양귀자	○				○
03 노새 두 마리 _ 최일남	○				○
04 낙화 _ 이형기	○	○	○		○
05 구두 _ 계용묵	○	○			○
별별 배경					
01 수난이대 _ 하근찬	○	○			○
02 광장 _ 최인훈		○	○	○	
03 꺼삐딴 리 _ 전광용		○		○	○
04 성북동 비둘기 _ 김광섭	○	○			○
05 추억에서 _ 박재삼		○	○	○	
별별 소재					
01 흐르는 북 _ 최일남		○	○	○	
02 아홉 켤레의 구두로 남은 사내 _ 윤흥길		○	○		○
03 성탄제 _ 김종길	○	○		○	○
04 풀 _ 김수영	○	○			○
05 결혼 _ 이강백		○		○	

작품 이름	중등 교과서	고등 교과서	대학 수학 능력 시험	평가원 모의 평가	전국 연합 학력 평가
별별 인물					
01 사랑손님과 어머니 _ 주요섭	○	○			
02 삼대 _ 염상섭		○	○	○	○
03 쉽게 씌어진 시 _ 윤동주		○			○
04 나룻배와 행인 _ 한용운	○	○			
05 살아 있는 이중생 각하 _ 오영진		○	○		
별별 사건					
01 미스터 방 _ 채만식	○	○		○	
02 운수 좋은 날 _ 현진건	○	○			○
03 봄·봄 _ 김유정	○	○		○	○
04 유리창 1 _ 정지용	○	○			○
05 고향 _ 백석	○	○	○		○
별별 배경					
01 메밀꽃 필 무렵 _ 이효석	○	○	○		
02 만세전 _ 염상섭	○	○		○	○
03 태평천하 _ 채만식		○	○		
04 님의 침묵 _ 한용운		○	○		○
05 청포도 _ 이육사	○	○			○
별별 소재					
01 동백꽃 _ 김유정	○	○	○		
02 돌다리 _ 이태준	○	○	○		○
03 역마 _ 김동리		○		○	○
04 진달래꽃 _ 김소월	○	○	○		○
05 돌담에 속삭이는 햇발 _ 김영랑	○	○			

문학 ❸ 수록 작품

작품 이름	중등 교과서	고등 교과서	대학 수학 능력 시험	평가원 모의 평가	전국 연합 학력 평가
별별 인물					
01 유충렬전 _ 작자 미상		○	○	○	○
02 심청전 _ 작자 미상	○	○	○	○	○
03 허생전 _ 박지원	○	○			○
04 동명왕 신화 _ 작자 미상	○	○			
05 (가) 동짓달 기나긴 _ 황진이	○	○			○
(나) 묏버들 가려 _ 홍랑	○	○	○		
별별 사건					
01 사씨남정기 _ 김만중	○	○	○	○	○
02 운영전 _ 작자 미상	○	○	○	○	○
03 흥보가 _ 작자 미상	○	○	○	○	○
04 춘향전 _ 작자 미상	○	○	○	○	○
05 가시리 _ 작자 미상	○	○	○	○	○
별별 배경					
01 박씨전 _ 작자 미상	○	○	○	○	○
02 홍길동전 _ 허균	○	○	○	○	○
03 양반전 _ 박지원	○	○	○		○
04 (가) 하여가 _ 이방원	○	○			
(나) 단심가 _ 정몽주	○	○			
05 봉산 탈춤(제6과장 양반춤) _ 작자 미상	○	○	○		○
별별 소재					
01 토끼전 _ 작자 미상	○	○	○	○	○
02 만복사저포기 _ 김시습		○	○		○
03 오우가 _ 윤선도	○	○	○		○
04 (가) 두꺼비 파리를 _ 작자 미상	○	○		○	○
(나) 개를 여남은이나 _ 작자 미상	○	○			
05 규중 칠우 쟁론기 _ 작자 미상	○	○			○

별별

인물

01 **사랑손님과 어머니** _ 주요섭

02 **삼대** _ 염상섭

03 **쉽게 씌어진 시** _ 윤동주

04 **나룻배와 행인** _ 한용운

05 **살아 있는 이중생 각하** _ 오영진

별별 인물 어휘로 마무리

01 사랑손님과 어머니 주요섭

메인북 8~13쪽까지 정답이야!

#장면별 핵심 태그

#1

아저씨가 삶은 달걀을
좋아한다는 말에
[# 달걀]을 많이 사는
어머니

#2

아저씨와 [# 내외]
하는 어머니와 달리 요새
세상에 내외하느냐는 외삼촌

#3

[# 풍금]에 얽힌
추억과 아버지에
대한 어머니의 그리움

#4

[# 어머니]에 대한
아저씨의 관심과
아저씨에 대한 어머니의 관심

문제 정답 및 해설

작품 줄거리 **1** 사랑 **2** 삶은 달걀

01

인물 ✕

사건 ○

배경 ✕

소재 ✕

인물 '나'는 유치원에 다니는 여섯 살짜리 여자아이이다.

사건 아저씨와 어머니는 서로에게 관심이 있지만 직접 관심을 표현하지는 못하고 있다.

배경 여러 채로 되어 있는 집에서 안채는 안에 있는 집을 말하며, 안채에는 '나'와 어머니가 머물고 있다. 아저씨는 위채에 있는 사랑에서 하숙을 한다.

소재 '삶은 달걀'은 아저씨와 '나'가 좋아하는 반찬이다.

02 ④

'나'는 여섯 살 어린아이로 어머니와 아저씨가 서로 관심을 보이는 것을 눈치채지 못하고 있다. 이는 아저씨에게 엄마를 보러 가자는 등의 순진한 말을 하는 것에서 알 수 있다.

03 ④

'나'는 아저씨가 자기처럼 '삶은 달걀'을 좋아한다는 말을 듣고 아저씨에게 친밀함을 느낀다. 또한 어머니는 아저씨가 삶은 달걀을 좋아한다는 '나'의 말을 듣고 달걀을 많이 사기 시작한다.

04 ①

창가는 1900년대 초, 우리나라가 서양 문물의 영향을 받아 봉건적인 사회 질서로부터 근대적 사회로 바뀌어 가던 시기에 불린 노래를 말한다.

05 ②

어머니가 사랑에 출입하지 않으려고 하는 것은 남녀가 유별하다는 전통적인 가치관을 가지고 있기 때문이지 사랑 아저씨와 사이가 좋지 않아서가 아니다. 어머니는 오히려 아저씨에게 관심을 가지고 있다.

06 ①

'풍금'은 옥희의 아버지가 어머니에게 준 선물로, 어머니는 남편이 죽은 이후에는 풍금의 뚜껑도 열어 보지 않았다고 하였다. 이를 통해 풍금은 아저씨에 대한 관심이 아니라 옥희 아버지에 대한 추억과 그리움을 나타내는 소재라고 볼 수 있다.

07 ①

아저씨는 옥희와 친하기도 하고 옥희가 귀여워서 놀아 주는 것이기도 하지만, 옥희 어머니에 대한 관심 때문에 더욱 옥희를 귀여워하고 옥희에게 이것저것 질문도 하는 것이다.

08 ③

여섯 살 어린아이의 눈으로 어른들의 모습을 전달하거나 추측하다 보니 어른들의 심리를 이해하지 못하는 부분이 드러난다. 이는 '나'를 귀여워하던 아저씨가 외삼촌이 들어오면 점잖아지는 모습을 보고 아저씨가 외삼촌을 무서워한다고 생각하는 점 등에서 나타난다.

02 삼대 염상섭

#장면별 핵심 태그

#1
[# 조상]을 꾸어
왔다는 상훈이의 말에
화를 내는 조의관

#2
대동보에 들어간
[# 돈]과 가치관의
차이로 말싸움하는
상훈이와 조의관

#3
[# 덕기]에게 재산을
물려줄 것이라고 공개적으로
말하고 상훈이를 내쫓는
조의관

문제 정답 및 해설

작품 줄거리 1 족보 2 재산

01
인물 ○
사건 ✕
배경 ○
소재 ○

인물 이 글은 조의관 – 조상훈 – 조덕기로 이어지는 삼대의 이야기를 다루고 있다.
사건 상훈이는 조의관에게 자신의 변명을 해 주는 창훈이를 두고 말리는 사람이 더 밉다고 하였다.
배경 이 글은 일제 강점기를 배경으로 한 가족사 소설로, 서울 중산층 집안인 조의관의 집에서 벌어지는 사건을 다루고 있다.
소재 조의관과 조상훈은 돈을 중요하게 여기지만, 돈을 어디에다 써야 하는지에 대한 의견은 서로 다르다.

02 ①
이 소설이 일제 강점기인 1920~30년대를 배경으로 하고 있는 것은 맞지만, 이 소설의 주제를 알기 위해 그 시대를 배경으로 한 모든 소설을 읽으며 주제를 비교할 필요는 없다.

03 족보
조의관과 조상훈이 갈등하는 원인은 겉으로는 조의관이 족보를 사는 데 큰돈을 쓴 것이지만, 근본적으로는 두 사람의 가치관이 다르기 때문이다. 조의관은 가문을 중시하는 봉건적 가치관을 지닌 인물이고, 조상훈은 근대적·기독교적 가치관을 지닌 인물이다.

04 ⑤
조의관은 조상을 모시는 일이나 가문을 발전시키는 것과 관련한 일에 관심을 두고 돈을 쓰고 있다. 조상훈은 새로운 문물을 배우고 온 지식인으로 교육이나 도서관 사업 등을 중요하게 여기고 있다.

05 ④
조상훈이 제사에는 참석했지만 조의관이 말하는 '제사 반대군'은 바로 조상훈이다. 조상훈은 제사 지내는 일과 족보 사는 일에 반대 입장을 보이고 있다.

06 ④
족보 편찬을 반대하고 가문의 일을 무시하는 상훈이에게 조의관은 강한 분노를 드러내고 있다. 그리하여 집안 사람들이 다 모인 자리에서 아들인 상훈이와 인연을 끊겠다고 공개적으로 선언하고, 자신의 재산을 상훈이가 아닌 손자 덕기에게 물려주겠다고 한 것이다.

07 ⑤
조의관이 족보를 만드는 데 많은 돈을 쓴 이유는 족보 파는 것을 반대하는 원래 족보 주인들의 입을 막기 위해서였다. 그리하여 많은 돈을 쓰고도 그렇게 많은 돈을 쓴 것이 아니라며 숨겨야 하는 상황인 것이다.

08 ④
이 글에서 1대인 조의관은 봉건적 세대, 2대인 조상훈은 개화기 세대, 3대인 조덕기는 식민지 세대로 세대 간의 화합이 아니라 갈등을 보여 주고 있다.

03 쉽게 씌어진 시 윤동주

메인북 20~23쪽까지 정답이야!

#장면별 핵심 태그

#1
비가 내리는 밤 일본의
[# 육첩방]에서
시를 쓰고 있는 '나'

#2
학비를 받아 대학에
[# 강의]를 들으러
다니는 '나'의 현실에
대한 회의와 갈등

#3
살기 어려운 현실에서
[# 시]가 쉽게
쓰여 부끄러움

#4
'나'와 '나'의 최초의
[# 악수]를 통해
화해하고 부끄럽지 않게
살아가리라 다짐함

문제 정답 및 해설

01
화자 ○
시어 ✕
표현 ○

화자 이 시의 화자는 시인 자신으로 '시인이란 슬픈 천명'이라는 시구에서 알 수 있다.
시어 '육첩방은 남의 나라'라는 것에서 화자가 우리나라가 아닌 일본에 있다는 사실을 알 수 있다.
표현 1연의 1행과 2행의 순서가 8연에서 바뀌고 있는데, 이는 현실을 새롭게 바라보려는 화자의 인식을 반영한 것이다.

02 ④

화자는 누군가 '등불'을 켜 주기를 바라는 것이 아니라 스스로 밝혀 어둠을 몰아내겠다고 하였다. 이는 일제 강점기의 현실에서 아무것도 하지 않고 있던 화자가, 자신에 대한 반성을 거쳐 암울한 현실을 극복하기 위한 행동을 하리라는 것을 보여 준다.

03 ⑤

화자는 집에서 보내 주는 학비로 대학교에 강의를 들으러 가는 자신의 모습을 돌아보며 현실에 안주하고 있는 자신의 모습을 부끄럽다고 여기고 있는 것이다.

04 ②

시에서는 시행의 끝에 같은 단어를 반복하여 운율을 살리는 경우도 있으나, 이 시는 시행의 끝이 전부 다른 단어로 되어 있다. 이 시는 2행으로 된 짧은 연이 반복되면서 운율을 형성하고 있다.

05 등불, 아침

'밤비'와 '어둠'은 일제 강점기라는 암울하고 답답한 현실을, '등불'과 '아침'은 조국의 광복을 나타내는 시어이다.

06 ②

㉠은 잘못된 현실에 저항하지 못하고 무력하게 살아가는 현실적 자아(자기 자신에 대한 의식이나 관념)를 나타낸다. ㉡은 이러한 자신을 되돌아본 후에 현실을 극복하려는 의지를 다지는 이상적 자아이자 내면적 자아이다.

07 ③

'늙은 교수의 강의'는 일제 강점기라는 암울한 현실과도 관련이 없고 이러한 현실을 바꿀 수도 없는 낡은 지식을 의미한다.

08 ②

어린 때 동무들을 잃어버렸다는 것은 이국에서 느끼는 외로움이라고 볼 수 있다.
① '대학 노트'는 일본에서 대학 수업을 들었음을 의미한다. ③ '침전'은 하강의 이미지로 무기력함, 좌절감을 나타낸다. ④ '최초의 악수'는 현실의 자아와 내면의 자아가 화해하는 것으로 부끄럽지 않은 삶을 살아갈 것임을 보여 준다. 부정적 현실에 대한 적극적인 행동이 이어질 것임을 추측할 수 있다. ⑤ '아침'은 긍정적 시어로 독립운동에 가담했던 시인의 삶을 고려할 때 광복을 의미한다.

04 나룻배와 행인 한용운

메인북 24~27쪽까지 정답이야!

#1

당신이 [# 흙발]로 짓밟아도 당신을 안고 물을 건너가는 '나'

#2

[# 바람]을 쐬고 눈비를 맞으면서도 당신을 기다리며 낡아 가는 '나'

문제 정답 및 해설

01

화자 ○
시어 ✕
표현 ○

화자 화자인 '나'는 자신을 '나룻배'에 비유하여 표현하였다.
시어 '당신'이 '흙발'로 '나'를 밟고 가는 것은 '나'에 대해 무관심하기 때문이다.
표현 1연과 4연은 '~는 ~ / ~은 ~'과 같이 비슷한 어구가 짝을 이루고 있다.

02 ①

'나'는 사랑하는 '당신'이 떠났지만 '당신'을 원망하거나 슬퍼하지 않고, 기다리면 언젠가 당신이 돌아올 것이라며 희망적인 자세를 보이고 있다.

03 ④

이 시는 무심히 떠난 '당신'을 기다리겠다는 참된 사랑을 나타낸 시이므로, 시적 상황에 어울리는 목소리로 낭송하는 것이 적절하다.

04 ⑤

이 시는 1연이 4연에서 그대로 반복되고 있는 수미상관법이 사용되었다. 수미상관법을 사용한다고 해서 시의 화자를 감출 수 있는 것은 아니며, 이 시의 화자는 '나'로 겉으로 드러나 있다.

05 ④

'당신'은 ㉠과 ㉣을 통해 '나'에 대해 무관심하고 무정한 태도를 보이고 있음을 알 수 있고, '나'는 ㉡과 ㉢에서 희생하는 모습을, ㉤에서 기다리는 모습을 보이고 있음을 알 수 있다.

06 ③

'나'는 3연에서 '당신'이 오지 않으면 바람을 쐬고 눈비를 맞으며 기다리겠다고 하였다. '급한 여울' 역시 '당신'을 위한 '나'의 희생이므로 고난과 시련을 의미한다고 볼 수 있으나 '당신'을 안고 건너는 것이므로 기다리면서 겪는 고난이라고는 볼 수 없다.

07 ④

한용운은 민족 대표 33인 중의 한 명으로 삼일 운동 때 '독립 선언서'에 참여한 혐의로 일제에 체포되기도 한다. 이처럼 한용운을 독립운동가로 본다면 한용운이 확신을 가지고 기다렸던 대상은 '조국(의 광복)'이라고 볼 수 있다.

08 ④

이 시는 '나'를 '나룻배'에 빗대어 사랑하는 이를 위해 헌신하고 희생하는 모습을 보여 준다. 그런 '나'를 '당신'이 '행인'처럼 무심히 떠나간다 하더라도 언제든 '당신'이 돌아올 것이라 믿고 기다리는 모습에서 참된 사랑을 느낄 수 있다.
① '나'는 희생적이고 헌신적인 태도를 보이고 있다. ② '당신'이 돌아오지 않겠다고 한 부분은 없으며, '나' 역시 '당신'이 언젠가는 꼭 돌아올 것이라고 믿고 있다. ③ '나'가 '당신'에게 잘못하거나 죄를 저지르지는 않았다. ⑤ '당신'은 '나'에게 무관심하거나 무정하게 대할 뿐이다.

05 살아 있는 이중생 각하 오영진

메인북 28~33쪽까지 정답이야!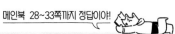

#장면별 핵심 태그

#1
송달지에게 이중생의 유산을
[# 보건 시설]
같은 것에 쓰면 어떻겠냐고
제안하는 김 의원

#2
유산은 법적으로 처리할
것이며 송달지에게
[# 의견서]를
제출하라고 하는 김 의원

#3
재산을 빼앗기게 되자 사위인
[# 송달지]와
최 변호사에게 분노하는
이중생

문제 정답 및 해설

작품 줄거리 1 보건 2 특위

01
인물 ○
사건 ○
배경 ○
소재 ✕

인물 송달지는 이중생의 첫째 딸인 하주의 남편이다.
사건 재산이 몰수될 위기에 처하자 이중생은 최 변호사와 짜고 가짜 자살극을 벌여 재산을 사위인 송달지에게 맡겨 두려고 하였다.
배경 제시된 부분은 이중생의 집에 차려진 이중생의 장례식장을 배경으로 하고 있다.
소재 이중생은 자신의 재산을 사위인 송달지에게 물려준다고 유서를 썼지만, 나중에 다시 재산을 가져올 생각이다.

02 ④
최 변호사는 이중생의 고문 변호사로 이중생이 재산을 지키도록 거짓 자살극을 제안하는 인물이다. 이중생이 재산을 나라에 뺏기지 않아야 자신도 수수료를 받아 한몫 챙길 수 있기 때문이다.

03
(1) 이중생, 최 변호사
(2) 송달지, 김 의원

이중생과 최 변호사는 재산을 나라에 빼앗기지 않으려고 이중생이 죽은 것처럼 위장한다. 하지만 김 의원이 나타나 이중생의 재산은 어차피 나라의 것이며 이를 유익한 곳에 쓰자고 하고, 송달지는 이런 김 의원의 제안을 긍정적으로 받아들인다.

04 ④
이중생이 살아 있다는 사실을 김 의원에게 들킬 뻔한 부분이므로 극적 긴장감이 높아지다가, 최 변호사가 자기가 낸 소리라고 함으로써 웃음을 유발하는 부분이다.

05 ④
이중생은 자신의 재산을 다 무료 병원에 내놓아야 하느냐며 송달지와 최 변호사에게 분노를 터트리며 욕을 하고 있다. 한편 최 변호사는 이중생이 재산을 모두 잃게 되자 자신이 받을 수수료만 챙기는 등 기회주의적인 모습을 보이고 있다.

06 ①
이중생이 일제 강점기에는 일제에 아부하고 광복 후에는 권력자에게 아부하여 부를 쌓은 것은 맞지만, 제목 자체에 이러한 내용이 드러나지는 않는다.

07 ⑤
이중생이 살아 있다고 밝힐 수도 없는 최 변호사는 김 의원의 논리에 어안이 벙벙하여 아무 대꾸도 못하고 있다.

08 ③
보건 시설을 세우는 데 이중생의 재산을 쓰자는 김 의원에 말에 송달지가 긍정하자, 최 변호사는 가족들의 의견을 들어야 한다며 반대한다. 송달지는 이러한 최 변호사의 말에 반대는 커녕 자신의 의견을 내세우지 못하고 말끝을 흐리고 있다.

01
(1) ――― ㉠
(2) ―×― ㉡
(3) ―×― ㉢

(1) '재촉하다'는 어떤 일을 빨리 하도록 조르는 것을 말한다.
(2) '야속하다'는 무정한 행동이나 그런 행동을 한 사람이 섭섭하게 여겨져 언짢은 것을 말한다.
(3) '몰수하다'는 범죄 행위에 제공한 물건이나 불법으로 얻은 물건을 국가가 강제로 빼앗는 것을 말한다.

02 ⑤

'불충분하다'는 '만족할 만큼 넉넉하지 않다.'라는 뜻으로 즉, 수가 모자라다는 말이다. 그런데 나머지 어휘들은 모두 크기가 크거나 수가 많거나, 성질이나 상태가 아주 좋다는 뜻을 나타내고 있다.
① 탁월하다: 남보다 두드러지게 뛰어나다. ② 우수하다: 여럿 가운데 뛰어나다. 특별히 뛰어나다. 다른 것에 비하여 수나 수량이 많다. ③ 뛰어나다: 남보다 월등히 훌륭하거나 앞서 있다. ④ 대단하다: 몹시 크거나 많다. 출중하게 뛰어나다.

03 ㉢

'분주하다'라는 말은 '이리저리 바쁘고 어지럽다.'라는 뜻이다. '한가하다'는 '겨를이 생겨 여유가 있다.'라는 뜻으로 '분주하다'와는 뜻이 반대되는 어휘이다.

04
(1) 으레
(2) 쐬고

(1) '으레'는 '두말할 것 없이 당연히. 틀림없이 언제나.'를 뜻하는 어휘이다.
(2) '쐬다'는 '얼굴이나 몸에 바람이나 연기, 햇빛 따위를 직접 받다.'라는 뜻이다.

05
(1) 줄
(2) 알
(3) 질

(1) '줄'은 글을 가로나 세로로 벌인 것을 세는 단위이다.
(2) '알'은 작고 둥근 모양의 물건을 세는 단위이다.
(3) '질'은 여러 권으로 된 책의 한 벌(세트)을 세는 단위이다.

06
(1) 철부지
(2) 협잡배

(1)과 (2)는 모두 「삼대」에서 사용된 어휘이다.
(1)은 '철부지'로, 조의관이 조상훈을 나무랄 때 사용되었다.
(2)는 '협잡배'로, 족보를 만들면서 조의관의 돈을 중간에서 꾀어 쓴 사람들을 가리킬 때 사용되었다.

07 ㉡

창훈이는 상훈이를 변명해 주는 것 같지만, 사실은 조의관에게 돈을 뜯어내기 위해 족보 만드는 것을 찬성하는 인물이다. 이 상황은 족보 때문에 상훈이에게 화를 내는 조의관에게 창훈이가 변명을 해 주는 상황이다. ㉡ '때리는 시어머니보다 말리는 시누이가 더 밉다.'는 겉으로는 위하여 주는 체하면서 속으로는 해하고 헐뜯는 사람이 더 밉다는 말이다.
㉠ '뛰는 놈 위에 나는 놈 있다.'는 아무리 재주가 뛰어나다 하더라도 그보다 더 뛰어난 사람이 있다는 뜻으로, 스스로 뽐내는 사람을 경계하여 이르는 말이다.
㉢ '사람 나고 돈 났지 돈 나고 사람 났나.'는 아무리 돈이 귀중하다 하여도 사람보다 더 귀중할 수는 없다는 뜻으로, 돈밖에 모르는 사람을 비난하여 이르는 말이다.

08 ㉠

'학수고대'는 학의 목처럼 목을 길게 빼고 간절히 기다리는 것을 뜻하므로, '당신'을 기다리는 '나'의 상황을 나타내기에 적절하다.
㉡ '고립무원'은 다른 사람과 어울리지 못하는 외톨이가 되어 도움을 받을 데가 없음을 뜻하는 말이다. ㉢ '혈혈단신'은 의지할 곳이 없는 외로운 홀몸을 뜻하는 말이다. '홀홀단신'은 틀린 말이므로 주의해야 한다.

별별 사건

01 **미스터 방**_채만식

02 **운수 좋은 날**_현진건

03 **봄·봄**_김유정

04 **유리창 I**_정지용

05 **고향**_백석

별별 사건 어휘로 마무리

01 미스터 방 채만식

#장면별 핵심 태그

#1

방삼복이 출세하여
'[# 미스터 방]'이 된 것을
신기하게 여기는 백 주사

#2

자신에게 이익이 되는지에
따라 [# 독립]에 대한
생각이 바뀌는 방삼복

#3

미스터 방에게 자신의 재산을
되찾아 달라고 비굴하게
부탁하는 [# 백 주사]

#4

미스터 방이 뱉은
[# 양칫물]을 맞고
화가 나 미스터 방의 턱을
때린 S 소위

문제 정답 및 해설

메인북 38~43쪽까지 정답이야!

작품 줄거리   **1** 미스터 방   **2** 양치

01

인물 ○
사건 ✕
배경 ○
소재 ○

인물 방삼복은 광복 전에는 신기료장수를 하다가 광복 후 미군 장교 S 소위의 통역을 맡으며 미스터 방이 되었다.
사건 S 소위는 미스터 방이 뱉은 양칫물을 얼굴에 맞고 화가 나서 미스터 방의 턱을 친다.
배경 이 글의 시간적 배경은 1945년 광복 전후이고, 공간적 배경은 서울이다.
소재 미스터 방의 이런 버릇 때문에 S 소위가 양칫물을 맞게 된다.

02 ④

방 삼복은 역사의식이 없는 인물로, 독립이 되었지만 전혀 기뻐하지 않고 손님이 줄어든 것만 생각하다가 자신에게 이익이 생기고서야 독립도 할 만한 것이라고 느낀다.

03 #2

#2는 광복이 되던 날에 방삼복에게 있었던 일을 서술하고 있다. #1, #3, #4는 독립 후 방삼복이 미스터 방이 되고 나서의 일이다.

04 ②

작가는 이 글을 통하여 일제 강점기의 잔재가 청산되지 않았던 광복 직후의 혼란스러운 사회상과, 그 틈을 타 기회주의자나 아부하는 사람이 출세하는 세태를 비판하고 있다.

05 ⑤

백 주사는 속으로 미스터 방을 못마땅하게 생각하지만 미스터 방이 출세를 하여 큰 세도를 부리는 것처럼 보이자 미스터 방의 힘을 빌려 자신의 분풀이를 하고 싶어 한다.

06 ①

미스터 방은 백 주사가 자신에게 복수를 부탁하자, 자신의 말 한 마디면 기관총을 둘러멘 엠피가 백 명이고 천 명이고 움직인다고 자신의 권력을 과장하며 허세를 부리고 있다.

07 ②

'순사'는 일제 강점기 때의 경찰관이다. '순사'와 '독립'이라는 말을 통해 이 글이 일제 강점기와 광복 전후를 배경으로 하고 있음을 알 수 있다.

08 ④

이 글의 결말은 미스터 방이 술을 먹으면서 양치를 하는 버릇 때문에 벌어지는 사건으로 미스터 방의 모습을 풍자하여 웃음을 자아낸다. 앞으로 미스터 방의 처지가 뒤바뀌어 권력과 부를 잃을 것임을 짐작하게 하며 상황이 반전되어 독자에게 쾌감을 준다.

02 운수 좋은 날 현진건

메인북 44~49쪽까지 정답이야!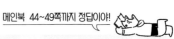

#장면별 핵심 태그

#1
오랜만에 손님을 연달아 태우고 [# 운수] 좋은 날이라고 생각하는 김 첨지

#2
손님이 끊이지 않자, 계속되는 [# 행운]에 겁이 난 김 첨지

#3
[# 아내]가 죽은 것을 확인하고 통곡하는 김 첨지

문제 정답 및 해설

작품 줄거리 **1** 비 **2** 설렁탕

01

인물 ○
사건 ✕
배경 ○
소재 ○

인물 김 첨지는 동소문 안에서 인력거꾼 노릇을 한다고 하였다.

사건 김 첨지는 아침부터 앞집 마나님을 전찻길로 모셔다 드리고, 교원인 듯한 양복쟁이를 동광 학교까지 태워다 주는 등 운수가 좋은 날이었다.

배경 겨울비가 추적추적 내리는 날이라는 배경은 이 글의 암울한 분위기를 형성하고 있다.

소재 오랜만에 돈을 번 김 첨지가 '설렁탕'을 사 가지고 집에 가지만, 아내는 이미 죽어 있었다.

02 ⑤

추적추적 내리는 겨울비는 작품 전반에 어둡고 음산한 분위기를 조성한다. 김 첨지가 아픈 아내에게 화를 내기는 하지만 이는 걱정에서 비롯된 것으로, 날씨를 통해 인물 간의 갈등과 불화를 드러내는 것은 아니다.

03 ④

#2에서 김 첨지는 병에게 약을 주면 재미를 붙여서 자꾸 온다는 생각을 하고 있고 굶기를 밥 먹듯이 하는 형편이므로, 김 첨지가 아내에게 약을 지어 먹였다고 보기는 어렵다.

04 ①

'달포'는 한 달이 조금 넘는 기간을 뜻하는 말로 특정한 시대나 사회를 나타내는 어휘로 보기 어렵다. 나머지는 일제 강점기인 1920년대를 알 수 있게 해 주는 말이다.

05 설렁탕

김 첨지는 돈을 벌자 아내에게 설렁탕을 사 줄 수 있게 되었다고 기뻐하며 술에 취했음에도 잊지 않고 설렁탕을 사 온 것으로 보아 설렁탕에는 아내에 대한 애정이 담겨 있음을 알 수 있다. 그리고 아내는 결국 이 설렁탕을 먹지 못하고 죽었으므로, 설렁탕은 아내의 죽음을 더욱 비극적으로 만드는 소재이기도 하다.

06 ③

이 작품은 일제 강점기 하층민의 삶을 사실적으로 보여 주고 있는 사실주의 소설이다. 하층민에 속하는 김 첨지가 사용하는 비속어는 하층민의 비극적인 삶을 생동감 있게 전달하는 역할을 한다.

07 ②

ⓒ와 ⓓ는 김 첨지 아내가 살아 있을 때 내던 소리이고, ⓖ는 김 첨지 아들이 젖을 빠는 소리이므로 김 첨지 아내의 죽음을 암시한다고 볼 수 없다.

08 ①

이 날은 김 첨지가 돈을 많이 벌어 운수가 좋은 날이 될 수 있었으나, 결국 아내가 죽은 불행한 날이 되었다. 제목인 '운수 좋은 날'은 이러한 상황을 반어적으로 나타내고, 글의 비극성을 강조한다.

03 봄·봄 김유정

메인북 50~55쪽까지 정답이야!

#장면별 핵심 태그

#1
장인에 대한 불만으로
[# 배]가 아프다고
꾀병을 부리는 '나'

#2
마을에서 '[# 욕필이]'
라고 불리며 인심을 잃은 장인

#3
장인이 계속해서
[# 성례]를 미루자
구장에게 가서 판단을 받자고
하는 '나'

#4
[# 봄]이 되자
가슴이 울렁거리는 '나'와
이런 '나'를 부추기는 점순

문제 정답 및 해설

작품 줄거리 **1** 키 **2** 성례

01
인물 ✕
사건 ○
배경 ✕
소재 ✕

인물 '나'는 점순이와 성례를 하고 싶어 하고, 점순이도 '나'에게 성례를 재촉할 것을 부추기는 것으로 보아 서로에게 관심이 없는 것은 아니다.
사건 장인은 점순이의 키가 덜 자랐다며 '나'와의 성례를 계속 미루고 있다.
배경 이 글의 배경은 산골의 농촌 마을이다. 사투리와 농촌의 소재들에서 향토적 정감이 느껴진다.
소재 '나'는 점순이가 제일 맛 좋고 이쁜 '감참외' 같다며 점순이에 대한 애정을 드러내고 있다.

02 ②
이 글의 서술자는 주인공인 '나'로, 사투리와 언어유희를 사용해 친근하게 이야기를 전달하고 있다. 또한 **#2**에서 인물(장인)의 성격을 직접적으로 제시하였다.

03 ④
두 사람이 갈등하는 이유는 성례를 핑계로 '나'를 마음껏 부리고 싶은 장인의 마음과, 점순이와 얼른 성례를 올리고 싶은 '나'의 마음이 충돌하기 때문이다.

04
ㄱ → ㄹ → ㄴ → ㄷ
작년 이맘 때(봄), 장인에 대한 불만 때문에 일을 하지 않는 '나'에게 장인이 돌멩이를 던져 '나'가 발목을 삐었다(ㄱ). → 그 전날(그저께), 점순이가 성례와 관련하여 '나'를 부추겼다(ㄹ). → 어저께 '나'는 장인에게 배가 아프다고 하며 꾀병을 부렸다(ㄴ). → 어저께 ㄴ이 일어난 후, 장인이 점순이의 키를 문제 삼아 성례를 미루자 '나'가 구장에게 판단을 받으러 가자고 제안하였다(ㄷ).

05 ②
#2를 보면, 장인은 동네에서 인심을 잃을 정도로 인색하고 덕이 없지만, 마름이라는 지위 때문에 재물도 얻었으며, 동네 사람들이 장인에게 굽실굽실하기까지 한다.

06 ①
'나'가 꾀병을 부리는 것은 성례를 미루는 장인에게 항의하기 위한 것으로 게으른 성격은 아니다.

07 ⑤
점순이의 몸이 빨리빨리 노는 것은 '나'가 점순이의 단점으로 꼽은 것으로, '나'가 점순이의 몸이 빨리빨리 노는 것을 좋다고 생각한 부분은 나타나지 않는다.

08 ⑤
제목인 '봄·봄'에서 '봄'이라는 계절적 배경은 '나'와 점순이가 서로에게 관심을 가지고 성례를 하고 싶어 하는 사랑의 계절이다.

04 유리창 1 정지용

메인북 56~59쪽까지 정답이야!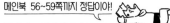

#장면별 핵심 태그

#1
입김과 밤하늘의
[# 별]에서 죽은
아이를 떠올림

#2
[# 유리]를 닦으며
느끼는 심정과 죽은 아이에
대한 탄식

문제 정답 및 해설

01
화자 ✕
시어 ○
표현 ✕

화자 이 시의 화자는 어린 자식을 잃은 아버지이다.
시어 창 너머를 보여 주지만 두 공간 사이를 막는 '유리창'은 창 안(이승)과 창밖(저승)을 이어 주면서 동시에 단절한다.
표현 이 시는 대비되는 감정을 함께 표현함으로써 감정을 절제하고 있다.

02 ①
'유리창' 안은 화자가 있는 삶의 공간, 밖은 아이가 떠나간 죽음의 공간이다. 화자가 유리창에 어리는 죽은 아이의 환영을 볼 수는 있지만, 화자가 아이에게 닿을 수는 없다는 점에서 유리창은 둘을 단절하면서도 매개하는 이중적 의미를 가지고 있다. 화자가 그리워하는 것은 죽은 아이이지, 유리창 자체는 아니다.

03 ④
이 시는 자식을 잃은 슬픔과 그리움을 직접 드러내지 않고 절제하고 있다.

04 ③
이 시에서 화자는 자식을 잃은 슬픔을 직접 표출하지 않고 '차고 슬픈 것', '언 날개', '물 먹은 별', '산새' 등으로 죽은 아이의 영상을 시각적 이미지를 통해 감각적으로 표현하고 있다.

05 외로운 황홀한 심 사이어니
'외로운'은 자식의 부재로 인한 외로움을, '황홀한'은 자식을 떠올리는 황홀함을 나타낸 표현이다. 부정적인 감정과 긍정적인 감정을 동시에 나타낸 모순 형용을 통해 감정을 절제하고, 화자의 그리움을 효과적으로 표현하고 있다.

06 ③
ⓐ '너'는 죽은 아이를 가리키는 시어로, '차고 슬픈 것', '언 날개', '물 먹은 별', '산새'는 모두 이를 비유적으로 표현한 것들이다. '새까만 밤'은 죽은 아이가 있는 공간, 즉 저승을 표현하고 있다.

07 ③
ⓒ은 유리를 닦는 반복적인 행동을 통해 죽은 아이에 대한 그리움과 미련, 안타까움을 표현하고 있다.

08 ③
이 시와 보기의 화자는 모두 사랑하는 사람이 죽음으로 떠나갔다. 이 시에서 유리창의 안쪽과 보기에서 '여기', 즉 '열매가 떨어지면 / 툭 하는 소리가 들리는 세상.'은 모두 화자가 있는 이승이다.

> ▸ 보기 돋보기 ◂
> 박목월, 「하관」
> 아우의 관을 내리는 장면과 꿈에서 아우를 만난 장면을 통해 아우를 잃은 슬픔 및 삶과 죽음의 단절을 표현한 시이다.

05 고향 백석

메인북 60~63쪽까지 정답이야!

#장면별 핵심 태그

#1
'나'에게 [# 고향]을 묻는 의원

#2
의원의 [# 손길]을 통해 고향에 대한 그리움을 달래는 '나'

문제 정답 및 해설

01
화자 ○
시어 ○
표현 ○

화자 화자와 아무개 씨의 고향은 평안도 정주로 같은 곳이다.
시어 화자는 '북관'이라는 타향에서 홀로 생활하고 있는 처지임을 알 수 있다.
표현 이 시는 타향에서 홀로 아픈 '나'가 의원을 만나 진찰을 받으며 대화하는 서사적 구조를 통해 전개되고 있다.

02 ③
'나'는 타지에서 혼자 앓아누워 있으며 '나'가 아버지로 모시는 분과 막역지간인 의원을 만난 상황이다. '나'가 곧 고향으로 돌아갈 것인지는 이 시를 통해 알 수 없다.

03 ⑤
화자는 타지인 함경도에 혼자 있는데 아프기까지 하다. 외로움을 느끼던 화자는 자신을 진찰하는 의원이 고향에서 아버지로 섬기던 이와 가까운 사이임을 알게 된다. 그래서 의원의 손길이 마치 가족과 고향 사람처럼 따스하게 느껴져 고향에 대한 그리움을 위로받게 된다.

04 ①
화자는 의원의 부처 같은 얼굴에 관우의 수염을 드리운 모습을 동화 속 존재인 '신선'에 비유하고 있다. 또한 '먼 옛적 어느 나라'라는 표현을 통해 동화적 느낌을 주고 있다.

05 ⑤
'나'는 의원에게서 처음부터 신선 같은 인상을 느끼고 있으며, 고향과 지인에 관한 대화를 통해 더욱 친근함을 느끼고 있다.

06 ⑤
㉠은 아버지로 섬기는 이와 친구 사이인 의원을 우연히 만나 고향의 따뜻함과 아버지의 정을 느꼈다는 의미로, 고향과 가족에 대한 화자의 그리움을 엿볼 수 있다.

07 ③
의원은 앓아누운 '나'를 진료하기 위해 '나'가 처음 만난 인물이다. 대화를 통해 의원은 '나'가 자신의 친구와 같은 고향 사람이라는 사실을 알게 된다.

08 ③
이 시는 인간의 보편적인 정서인 고향에 대한 그리움이 잘 나타난 작품이다. 고향을 떠나 살아가는 화자가 아버지로 섬기는 분과 친한 사이인 의원을 만나 고향을 그리워하는 심정을 형상화하고 있을 뿐, 변해 버린 고향의 모습이나 이에 대한 화자의 감정은 나타나 있지 않다.

메인북 64~66쪽까지 정답이야!

01
(1) 칸
(2) 첩
(3) 되, 단

(1) '칸'은 건물에서 둘러막혀 생긴 공간을 세는 단위이다.
(2) '첩'은 약봉지에 싼 약의 뭉치를 세는 단위이다.
(3) '되'는 부피의 단위로, 곡식, 가루, 액체의 부피를 잴 때 쓴다. '단'은 짚, 땔나무, 채소의 묶음을 세는 단위이다.

02 ③

'나른하다'는 '맥이 풀리거나 고단하여 기운이 없다.'라는 뜻으로 '지치다, 늘어지다, 노곤하다, 고단하다'와 바꾸어 쓸 수 있다. ③ '거뜬하고'는 '마음이 후련하고 상쾌하고.'라는 뜻으로 '나른하고'와는 반대의 뜻을 가진 어휘이다.
① '지치고'는 '힘든 일을 하거나 어떤 일에 시달려서 기운이 빠지고.', ② '늘어지고'는 '기운이 풀려 몸을 가누지 못하고.', ④ '노곤하고'는 '나른하고 피로하고.', ⑤ '고단하고'는 '몹시 지쳐서 몹시 기운이 없고.'의 뜻이다.

03
(1) ㉡
(2) ㉠
(3) ㉢

(1) ㉡ '추적추적'은 '비나 진눈깨비가 자꾸 축축하게 내리는 모양.'을 뜻한다.
(2) ㉠ '스르르'는 '미끄러지듯 슬며시 움직이는 모양.'을 뜻한다.
(3) ㉢ '허둥지둥'은 '정신을 차릴 수 없을 만큼 갈팡질팡하며 다급하게 서두르는 모양.'을 뜻한다.

04
(1) 띠고
(2) 털썩
(3) 웬일인지

(1) 감정이나 기운, 생각을 나타낸다는 의미일 때에는 '띠다'를 써야 한다. '띠고'는 '뜨이고' 혹은 '띄우고'의 준말로 맞춤법에는 어긋나지 않으나 여기서는 문맥상 맞지 않는다.
(2) '틜석'은 맞춤법에 맞지 않은 표현이다.
(3) '왠일인지'는 맞춤법에 맞지 않는 표현이다. '왠'을 쓰는 말은 '왜인지'의 준말인 '왠지'밖에 없다.

05 ㉠

㉠~㉢은 모두 '품'이라는 어휘의 뜻이다. 그런데 각각의 '품'은 소리만 같고 뜻이 다른 어휘(동음이의어)이다. 여기서는 남이 이틀 동안 해야 할 일을 혼자서 하루만에 했다는 문맥에서 사용되었으므로, '어떤 일에 드는 힘이나 수고.'의 뜻이 적절하다.

06
(1) 피신
(2) 궁리
(3) 습격

(1) '피신'은 '위험을 피하여 몸을 숨김.'을 뜻한다.
(2) '궁리'는 '마음속으로 이리저리 따져 깊이 생각함. 또는 그런 생각.'을 뜻한다.
(3) '습격'은 '갑자기 상대편을 덮쳐 침.'을 뜻한다.

07 ㉠

'나'가 점순이의 키가 자라야 성례를 할 수 있다는 두루뭉술한 약속을 한 것에서 '나'가 세상 물정을 잘 모르는 순박하고 어수룩한 인물임을 알 수 있다. ㉠ '숙맥불변(菽麥不辨)'은 콩인지 보리인지를 구별하지 못한다는 뜻으로, 사리 분별을 못하고 세상 물정을 잘 모름을 이르는 말이다.
㉡ 안하무인(眼下無人): 눈 아래에 사람이 없다는 뜻으로, 방자하고 교만하여 다른 사람을 업신여김을 이르는 말. ㉢ 낭중지추(囊中之錐): 주머니 속의 송곳이라는 뜻으로, 재능이 뛰어난 사람은 숨어 있어도 저절로 사람들에게 알려짐을 이르는 말.

08 ㉢

'개구리 올챙이 적 생각 못 한다.'라는 속담은 형편이나 사정이 전에 비하여 나아진 사람이 지난날의 미천하거나 어렵던 때의 일을 생각지 않고 처음부터 잘난 듯이 뽐냄을 비유적으로 이르는 말이다.
㉠ '장끼'는 꿩 수컷을, '까투리'는 꿩 암컷을 가리킨다. ㉡ '노가리'는 명태의 새끼를 가리킨다.

별별

배경

01 **메밀꽃 필 무렵**_이효석

02 **만세전**_염상섭

03 **태평천하**_채만식

04 **님의 침묵**_한용운

05 **청포도**_이육사

별별 배경 어휘로 마무리

01 메밀꽃 필 무렵 이효석

#장면별 핵심 태그

#1

[# 달밤]에 만났던 성 서방네 처녀와의 추억을 이야기하는 허 생원

#2

동이의 이야기를 듣고 놀라 발을 헛디뎌 [# 개울]에 빠지는 허 생원

#3

[# 왼손잡이]인 동이를 보고 자신의 아들임을 확신하는 허 생원

문제 정답 및 해설

작품 줄거리 **1** 메밀꽃 **2** 아들

01
- 인물 ○
- 사건 ○
- 배경 ○
- 소재 ○

인물 동이는 의부 밑에서 맞으며 살다가 열여덟 살 때 집을 뛰쳐나왔다고 하였다.

사건 허 생원은 동이 어머니의 이야기가 성 서방네 처녀와 닮아 있음을 깨닫고 놀라 발을 헛디디는 바람에 개울에 빠진다.

배경 이 글은 세 사람이 걷고 있는 달밤의 산길을 비유와 감각적인 표현으로 묘사하고 있다.

소재 '나귀'는 허 생원과 함께 떠돌아다닌 동반자로, 허 생원의 삶을 그대로 보여 주는 동물이다.

02 ④
허 생원은 대화장을 보고는 제천으로 가려고 하고 있다. 조 선달의 반응으로 보아 이는 원래 계획된 일이 아니라, 허 생원이 동이의 이야기를 듣고 난 이후에 결정한 것임을 알 수 있다.

03 ④
허 생원이 성 서방네 처녀를 만났을 때도 달밤이었고, 현재 동이가 자신의 아들일지도 모른다는 사실을 알게 되는 때 역시 달밤이다. 이처럼 '달밤'이라는 배경은 인물들의 관계를 밝히고 이러한 관계를 아름답게 비추어 주는 역할을 하고 있다.

04 ⑤
허 생원이 동이의 이야기를 듣다가 개울에 빠지게 되어 두 사람은 조 선달보다 한참 뒤처지게 된다. 이러한 상황 설정은 허 생원이 동이에 대한 정보를 더 많이 알게 함으로써 두 사람의 관계를 점점 더 확신하게 만들어 준다.

05 왼손잡이
허 생원은 동이 어머니의 이야기를 듣고 동이 어머니가 자신과 인연을 맺었던 성 서방네 처녀일지도 모른다고 생각한다. 그리고 결말에서 동이가 자신과 같은 왼손잡이임을 발견하고 동이가 자신의 아들일 것이라고 확신한다.

06 ①
허 생원은 자신의 나귀가 피마에게서 새끼를 얻었듯, 자기 자신도 성 서방네 처녀와의 사이에서 동이라는 아들을 얻었을지도 모른다는 기대감을 보여 주고 있다.

07 ⑤
처음에 좁은 산길에서 동이는 허 생원과 떨어져 걸었기 때문에 허 생원과 성 서방네 처녀의 이야기를 듣지 못한다. 이는 허 생원과 동이가 서로의 관계를 바로 알지 못하게 하여 결말 부분에서 극적인 효과를 낸다.

08 ③
달이 기울어진다는 것은 달이 저물고 곧 날이 밝는다는 의미이다. 이는 세 사람이 밤새 길을 걸었다는 것을 나타낼 뿐, 앞으로의 고난이나 역경을 의미하는 것은 아니다.

02 만세전 염상섭

메인북 74~79쪽까지 정답이야!

#장면별 핵심 태그

#1
조선 사람을 [# 요보]라 부르며 무시하는 일본인의 말에 적개심과 반항심이 생기는 '나'

#2
배 안 [# 목욕탕]에서 일본인들의 대화를 엿듣는 '나'

#3
조선 [# 노동자]들이 속아서 일본 공장에 팔려 가는 이야기를 듣고 놀라는 '나'

#4
정거장에서 조선의 현실을 보고 분노하며 조선을 [# 무덤]이라고 속으로 외치는 '나'

문제 정답 및 해설

작품 줄거리 **1** 목욕탕 **2** 무덤

01
인물 ○
사건 ✕
배경 ○
소재 ○

인물 '나'가 망국 민족의 구성원이라고 한 것에서 알 수 있다.
사건 '나'는 목욕탕에서 일본인끼리 하는 대화를 엿듣고 있다.
배경 '나'는 일본 동경에서 서울로 가기 위해 배를 타고 부산으로 갔다가 부산에서 다시 기차를 타고 이동하고 있다.
소재 '나'는 일본에서 서울로 가는 길에 비참한 조선의 현실을 목격하고는 '무덤' 같다고 여기고 있다.

02 ③
'나'는 동경에서 서울로 가는 배 안 목욕탕에서 일본인들의 대화를 엿듣고 분노하고 있을 뿐, 이 글을 통하여 '나'가 일제에 복수하려고 계획하고 있다는 것은 알 수 없다.

03 ①
'나'는 자신을 소위 말하는 '우국지사(나랏일을 근심하고 염려하는 사람.)'는 아니라고 말하고 있다. 그렇기는 하지만 조선인을 업신여기고 깔보는 일본인들의 대화를 엿듣다 보니 적개심과 분노가 일어나고 있는 것이다.

04 ④
'노동자'는 지금도 사용되는 말이므로 일제 강점기를 나타내는 말이라고 보기 어렵다.
① '순사'는 일제 강점기의 경찰을 가리키던 말이다. ② '요보'는 일본인이 한국인을 낮춰 부르는 말이고, ③ '생번'은 일본인이 대만의 번족을 낮춰 부르는 말이다. ⑤ '쿠리'는 일본인이 육체노동을 하던 중국인 노동자나 인도인 노동자를 낮춰 부르는 말이다.

05 ④
조선인들이 일본인에게 속아 일본의 공장에 팔려 갔음을 알 수 있으나 조선인에게 속아 일본으로 팔려 갔는지는 알 수 없다.

06 ①
'나'는 조선인 노동자들이 일본인에게 속아 지옥과도 같은 공장으로 팔려 간다는 사실을 알게 되자, 일본에 대한 적개심과 분노로 '그자'의 얼굴을 확인하려고 한다. 이러한 '나'의 분노는 '얼굴'을 '상판대기'라고 한 표현에서도 알 수 있다.

07 무덤
'나'는 조선의 비참한 현실을 보며 '구더기(조선인)가 끓는 무덤(조선 사회)'이라고 외치고 있다.

08 ②
이 글에는 조선에 대한 일본의 강한 통치와 억압, 조선의 노동력을 착취하는 일본인들의 모습이 그려져 있다. 일본의 침략을 아름답게 꾸미고 있는 부분은 없으며 오히려 더욱 사실적이고 객관적으로 그려 내고 있다.

03 태평천하 채만식

메인북 80~85쪽까지 정답이야!

#장면별 핵심 태그

#1

윤 직원 영감이 윤종수에게 [# 군수]가 되어야 한다며 훈계함

#2

윤종학이 사상 관계로 경시청에 붙잡혔다는 [# 전보]를 받고 놀라는 윤 직원 영감

#3

태평천하에 [# 사회주의] 운동에 참여하였다며 윤종학에게 분노하는 윤 직원 영감

문제 정답 및 해설

작품 줄거리 1 전보 2 태평천하

01

인물 ✕
사건 ◯
배경 ◯
소재 ◯

인물 윤 직원 영감의 아들은 윤 주사(윤창식)이고, 윤종수와 윤종학은 손자이다.
사건 윤 직원 영감의 아버지 말대가리 윤용규는 구한말 화적패의 손에 맞아 죽었다.
배경 윤 직원 영감은 일제가 우리나라를 식민지로 삼은 시기를 태평하고 살기 좋은 시기라고 여기고 있다.
소재 윤 주사가 '전보'를 받고 윤 직원 영감에게 윤종학이 사회주의 운동을 하다 잡혀간 사실을 알린다.

02 ⑤

이 글은 서술자가 등장인물의 행동과 심리를 모두 꿰뚫고 있는 전지적 작가 시점에 해당한다.
① '망진자는 호야니라'라는 소제목으로 사건의 전개 방향을 암시하고 있다. ② '-겠다요'와 같은 판소리적 문체와 '-ㅂ니다'와 같은 경어체를 사용하고 있다. ③ 윤 직원 영감과 윤 주사의 지체를 바꾸면 꼭 맞겠다는 부분에서 서술자의 개입이 드러난다. ④ '파리 족통' 같은 비속어나, '웅장한 투쟁' 같은 반어법을 사용하여 서술자는 윤 직원 영감을 조롱하고 있다.

03 ④

'전보'의 내용으로 보면 윤종학은 사회주의 운동을 하다가 일본에 있는 경시청에 잡혀갔으므로 서울로 돌아오기 힘들 것임을 짐작할 수 있다.

04 ④

제시된 부분은 진시황의 아들 호해가 진나라를 망하게 했듯이, 윤 직원 영감의 손자인 윤종학이 윤 직원 영감의 가문을 망하게 할 것이라는 의미를 담고 있다.

05 ⑤

윤 직원 영감은 구한말에 화적패의 습격으로 자신의 아버지와 재산을 잃었는데, 사회주의가 그런 화적패(불한당패)라고 하며 자신의 재산을 빼앗아 갈 세력으로 여겨 반감을 가지고 있다.

06 ⑤

윤 직원 영감은 손자 윤종학이 착실하게 대학교를 졸업하고 경찰이 될 것이라고만 생각하고 있었다. 그리하여 윤종학이 사회주의에 참여했다는 소식을 듣자 몽둥이로 뒤통수를 얻어맞은 것처럼 충격을 받고 있다.

07 ②

윤 직원 영감은 구한말 화적의 손에 아버지가 죽자 자신만 빼고 모두 망하라고 하였고, 실제로 나라는 일제에 의해 망하고 윤 직원 영감은 부자가 되었다. 그래서 일제 강점기를 '태평천하'라고 외치는 것이다.

04 님의 침묵 한용운

메인북 86~89쪽까지 정답이야!

#장면별 핵심 태그

#1
뜻밖의 [# 이별]에 놀라고 슬픔에 터진 가슴

#2
임을 다시 만나리라는 믿음과 임을 향한 [# 사랑]의 노래

문제 정답 및 해설

01
화자 ✕
시어 ○
표현 ○

화자 화자는 현재 임과 이별한 상황이며, 임과의 재회를 믿고 있을 뿐 임을 다시 만나지는 않았다.

시어 화자가 임과 했던 '황금의 꽃' 같은 '옛 맹세'가 '차디찬 티끌'처럼 보잘것없어졌음을 뜻하므로, 둘은 서로 대조된다.

표현 '님은 갔지마는 나는 님을 보내지 아니하였습니다.'는 역설적 표현이 사용된 시행이다.

02 ③

이 시의 전반부에서는 임과의 이별로 슬퍼하는 화자의 모습이, 후반부에서는 그러한 슬픔을 딛고 임과 다시 만나리라고 희망하는 화자의 모습이 나타나 있다.

03 ③

1~6행까지 사랑하는 임이 떠난 상황과 그로 인한 슬픔을 노래하다가 7행의 첫 부분인 '그러나'에서 시상이 전환된다. 그리하여 7행부터는 임과 다시 만날 것이라는 희망과 확신을 노래하고 있다.

04 ②

이 작품에서 '님'은 여러 가지 의미로 해석할 수 있다. 한용운이 독립운동가이고 이 시가 일제 강점기에 지어졌다는 것을 고려한다면, '님'은 '빼앗긴 조국'이라고 보는 것이 적절하다.

05 ④

ㄹ에서 화자는 임을 보내고 슬퍼하고 있지만 임과 헤어진 원인이 다른 사람 때문이라고 생각하고 있지는 않다.
ㄱ은 '아아'와 시구의 반복을 통해 임과 이별한 화자의 슬픔을 나타내고 있다. ㄴ에서 사랑이 변하지 않을 것이라는 맹세가 티끌이 되었다고 하였으므로 사랑의 약속이 소용없어진 것이다. ㄷ은 임 외에 어떤 것도 의미가 없는 것이므로 임에 대한 절대적인 사랑을 강조한 것이다. ㅁ에서 '님의 침묵', 즉 임의 부재에도 화자의 사랑 노래가 그것을 휩싸고 있으므로 임에 대한 영원한 사랑을 표현한 것이다.

06 ②

임과 이별하였지만 임을 보내지 않았다는 표현은 겉으로 보기에는 말이 안 되는 모순이다(ㄱ). 하지만 그 속에는 임과 다시 만날 것이라는 강한 믿음이 담겨 있다(ㄷ).
ㄴ. 속마음을 반대로 표현하는 것은 반어법에 대한 설명이다. ㄹ. 화자는 임은 떠나갔지만 다시 돌아올 것을 믿는다며 임에 대한 영원한 사랑을 노래하고 있다.

07 ④

이 시의 8행 '우리는 만날 때에 떠날 것을 염려하는 것과 같이, 떠날 때에 다시 만날 것을 믿습니다.'는 만남이 이별의 가능성을 가지고 있듯이 이별도 만남의 가능성을 가지고 있다는 뜻이다.

05 청포도 이육사

메인북 90~93쪽까지 정답이야!

#장면별 핵심 태그

#1
[# 청포도]가 익어 가는 평화로운 고향의 모습

#2
흰 돛단배를 타고
[# 청포]를 입고 찾아올 손님

#3
손님을 맞아 함께
[# 포도]를 따 먹기 위한 준비

문제 정답 및 해설

01
화자 ○
시어 ○
표현 ✕

화자 화자는 은쟁반과 모시 수건을 준비하며 청포를 입고 올 손님을 기다리고 있다.
시어 '하늘'은 우러러보는 대상으로서 '이상'을 상징하며, 화자의 소망이나 꿈을 나타낸다.
표현 이 시에는 푸른색과 흰색의 대비가 나타난다.

02 ⑤

'청포도'는 푸른색과 풍성한 결실이라는 점에서 희망, 풍요롭고 아름다운 삶, 이상 세계에 대한 소망 등을 상징한다고 볼 수 있다.

03 ④

'청포도', '하늘', '푸른 바다', '청포' 등의 푸른색과 '흰 돛단배', '은쟁반', '하이얀 모시 수건' 등의 흰색을 대비하여 평화로운 세계에 대한 간절한 소망을 감각적으로 표현하고 있다.

04 ①

이 시의 화자는 자신이 기다리는 '손님'이 언젠가는 올 것이라는 희망을 노래하고 있으므로 밝고 희망찬 목소리로 낭송하는 것이 적절하다.

05 ①

'손님'은 화자가 기다리는 대상이다. 이 시가 창작된 시기가 일제 강점기라는 점과 이육사가 독립운동을 한 점을 고려할 때, '손님'은 조국의 광복을 상징한다고 볼 수 있다.

06 ④

㉠은 사람이 아닌 하늘이 사람처럼 꿈을 꾼다고 표현하였으므로 의인법이 사용된 것이다. ㉡은 푸른 바다가 가슴을 연다고 표현하여 사람이 아닌 대상을 사람처럼 표현한 의인법이 사용되었다. ①은 반복법, ②는 비유법, ③은 반어법, ⑤는 설의법에 대한 설명이다.

07 ⑤

보기는 흰색의 이미지를 나타내는 시어에 대한 설명이다. 이 시에서 흰색의 이미지를 사용한 시어는 '흰 돛단배', '은쟁반', '하이얀 모시 수건'으로 화자의 순수하고 고결한 기다림의 모습을 강조한다.

08 ③

일제 강점기라는 시대적 상황을 고려한다면 '이 마을 전설'은 일제 강점기 이전의 평화롭던 우리 민족의 삶을 의미한다고 볼 수 있다.

01
(1) ──── ㉠
(2) ──── ㉡
(3) ──── ㉢

㉠ '꾀다'는 '그럴듯한 말이나 행동으로 남을 속이거나 부추겨서 자기 생각대로 끌다.'라는 뜻으로 앞에 '사람'을 가리키는 말이 나온다. ㉡ '지르다'는 '목청을 높여 소리를 크게 내다.'라는 뜻으로 앞에 '소리'와 관련된 말이 나온다. ㉢ '빗디디다'는 '잘못하여 디딜 자리가 아닌 다른 자리를 디디다.'라는 뜻으로 앞에 '발'이 나온다.

02 ④

'정수리'는 '머리 위의 숫구멍이 있는 자리.'를 가리키는 말로, '사물의 제일 꼭대기 부분을 비유적으로 이르는 말.'이다.
① 이마: 눈썹 위부터 머리털이 난 아래 부분. ② 팔꿈치: 팔의 위아래 마디가 붙은 관절의 바깥쪽. ③ 옆구리: 가슴과 등 사이의 갈빗대가 있는 부분. ⑤ 관자놀이: 귀와 눈 사이의 맥박이 뛰는 곳.

03 ㉡

'어지간하다'는 '수준이 보통에 가깝거나 그보다 약간 더하다.'라는 의미로 사용되었다. 이와 유사한 어휘는 '정도나 형편이 표준에 가깝거나 그보다 약간 낫다.'라는 뜻의 ㉡ '웬만하다'이다.
㉠ '시원찮다'는 '마음에 흡족하지 않다.'라는 뜻이고, ㉢ '어쭙잖다'는 '아주 서투르고 어설프다. 또는 아주 시시하고 보잘것없다.'라는 뜻이다.

04 (1) 우국지사
(2) 망나니
(3) 불한당

(1)은 「만세전」에서 '나'가 자신의 현실을 인식하면서 한 말이다.
(2)는 「메밀꽃 필 무렵」에서 동이가 의부를 가리켜 사용한 말이다.
(3)은 「태평천하」에서 윤 직원 영감이 사회주의자들에게 한 말이다.

05 (1) ㉢
(2) ㉠

(1) ㉠ '얼기설기'는 '가는 것이 이리저리 뒤섞이어 얽힌 모양.'을, ㉢ '듬성듬성'은 '매우 드물고 성긴 모양.'을 의미한다.
(2) ㉡ '사뿐히'는 '몸과 마음이 아주 가볍고 시원하게.', ㉢ '주렁주렁'은 '열매가 많이 달려 있는 모양.'을 의미한다.

06 (1) 여원
(2) 가엾어

(1) '여위다'는 '몸의 살이 빠져 파리하게 되다.'라는 뜻이고, '여의다'는 '부모나 사랑하는 사람이 죽어서 이별하다.'라는 뜻이므로, (1)은 '여원'이 적절하다.
(2) '가엾다'는 '마음이 아플 만큼 안되고 처연하다.'라는 뜻이고, '가없다'는 '끝이 없다.'라는 뜻이므로, (2)는 '가엾어'가 적절하다.

07 ㉢

조 선달은 허 생원과 다니면서 허 생원의 이야기를 수십 번도 더 들어왔을 것이다. 그럼에도 허 생원은 모른 척하고 똑같은 이야기를 조 선달에게 또 하고 있다. (2)의 '시치미 떼다'에는 다음과 같은 유래가 있다. '시치미'는 원래 매의 주인을 밝히기 위하여 주소를 적어 매의 꽁지 속에다 매어 둔 네모꼴의 뿔을 말한다. 그런데 이 시치미를 떼어 자기가 잡은 매라고 우기거나, 아예 자기 시치미로 바꿔치기하는 경우도 있었다. 그래서 자기가 하고도 하지 않은 척하거나, 알고 있으면서도 모르는 체한다는 의미가 생겨난 것이다.
㉠ '조건이나 상황이 달라지다.'는 '이야기가 다르다'의 뜻이다. ㉡ '같은 말을 너무나 여러 번 듣다.'는 '귀에 못이 박히다'의 뜻이다.

08 ㉡

㉡ '믿는 도끼에 발등 찍힌다'는 잘되리라고 믿고 있던 일이 어긋나거나 믿고 있던 사람이 배반하여 오히려 해를 입음을 비유적으로 이르는 말이다. 윤 직원 영감 입장에서는 손자 윤종학을 철썩같이 믿고 있다가 배신을 당한 것이나 마찬가지라고 볼 수 있다.
㉠ '가재는 게 편'은 모양이나 형편이 서로 비슷하고 인연이 있는 것끼리 서로 잘 어울리고, 사정을 보아주며 감싸 주기 쉬움을 비유적으로 이르는 말이다. ㉢ '참는 자에게 복이 있다'는 억울하고 분한 일이 있더라도 필요에 따라서는 꼭 참고 견디는 것이 상책임을 이르는 말이다.

별별

소재

01 **동백꽃**_김유정

02 **돌다리**_이태준

03 **역마**_김동리

04 **진달래꽃**_김소월

05 **돌담에 속삭이는 햇발**_김영랑

별별 소재 어휘로 마무리

01 동백꽃 김유정

#장면별 핵심 태그

#1
점순이가 '나'에게 준
[# 감자]를
'나'가 거절하자 얼굴이
빨개져 달아난 점순

#2
[# 닭싸움]을 붙여 놓고
천연스레 호드기를 불고 있는
점순이에게 약이 오르는 '나'

#3
화가 나서 단매로
점순이네 [# 수탉]을
때려죽이는 '나'

#4
점순이에게 떠밀려
점순이와 함께
[# 동백꽃] 속으로
쓰러지는 '나'

문제 정답 및 해설

메인북 98~103쪽까지 정답이야!

작품 줄거리   **1** 감자   **2** 동백꽃

01
인물 ○
사건 ×
배경 ○
소재 ×

인물 '나'와 점순이는 사춘기를 맞은 나이의 소년과 소녀이다.
사건 '나'는 점순이네 수탉과의 닭싸움에서 이기기 위해 우리 집 수탉에게 고추장 물을 먹였다.
배경 산골 농촌 마을을 배경으로 하여, 시골의 정취를 자아낸다.
소재 점순이는 '나'에게 감자를 주었다가 거절당하자, 이에 대한 앙갚음으로 자기네 닭을 '나'의 수탉과 싸움을 붙인 것이다.

02 ①
점순이가 '나'에게 감자를 주면서 "느 집엔 이거 없지?"라고 말한 이유는 '나'에게 관심을 보이는 것이 부끄럽기 때문이다. 그런데 '나'는 점순이의 마음을 몰라주고 소작인의 아들인 자신을 점순이가 무시한다고 생각하여 자존심이 상해 감자를 거절한다.

03 ①
'나'에게 맛있는 봄 감자를 몰래 주는 것이나, 자신의 호의를 무시한 '나'에 대한 원망으로 수탉을 괴롭히는 것으로 보아 점순이가 '나'에게 관심이 있다는 것을 알 수 있다.

04 ⑤
점순이는 '나'에게 감자를 주거나, '나'의 닭과 닭싸움을 붙이는 등 자신의 마음을 적극적으로 표현하는 데 반해, '나'는 이런 점순이의 마음을 알아채지 못하는 어수룩한 모습을 보인다.

05 ③
점순이는 '나'에게 감자를 주었다가 거절당한 일이 상처로 남아 있다. 얼굴이 새빨개지고 눈물이 날 정도였다는 것은 그만큼 부끄럽고 화가 났다는 것이다. 그러므로 "이담부턴 안 그럴 터냐?"라는 말은 앞으로는 자신의 사랑과 정성을 거절하지 말라는 의미이다.

06 ②
점순이는 마름(땅 주인 대신 농지를 관리하는 사람)의 딸이라 집이 넉넉하고, '나'는 그 농지를 빌려 농사를 짓는 가난한 소작인의 아들이다. 그러나 이 글에서 '동백꽃'이 두 사람의 형편의 차이를 나타내는 소재로 쓰이지는 않았다.

07 ③
'나'의 수탉은 점순이네 수탉과의 싸움에서 번번이 지거나 쪼이기는 하였지만, 그렇다고 죽지는 않았다. 죽은 것은 '나'의 매에 맞은 점순이네 닭이다.

08 ⑤
'나'는 바보스럽기도 하고 순박하기도 한 농촌 소년으로, 점순이가 '나'를 이성적으로 바라보는 것을 눈치채지 못하고 엉뚱하게 반응한다. 이는 독자가 따뜻하고 동정이 섞인 웃음을 짓게 만든다.

02 돌다리 이태준

#장면별 핵심 태그

#1
[# 병원]을 확장하기 위해 땅을 팔자고 아버지를 설득하는 창섭이와 이를 거절하는 아버지

#2
[# 땅]의 소중함을 모르고 땅을 함부로 대하는 사람들을 비판하는 아버지

#3
[# 땅]에 대한 아버지의 마음을 받아들이고 가치관의 차이를 인정하는 창섭

문제 정답 및 해설

작품 줄거리 1 병원 2 땅

01
인물 ○
사건 ✕
배경 ✕
소재 ○

인물 창섭이는 서울에서 병원을 운영하는 맹장 수술 전문의이다.
사건 이 글은 창섭이와 아버지의 대화를 통해 둘 사이의 갈등을 주로 다룬다. 어머니와 아버지의 갈등은 두드러지지 않는다.
배경 창섭이는 직접 고향을 찾아와 아버지를 설득하고 있다.
소재 돌다리는 전통 세대인 아버지의 가치관을, 나무다리는 근대 세대인 창섭이의 가치관을 상징한다.

02 ⑤
창섭이는 서울의 병원이 잘되어 더 큰 건물로 옮기려고 한다. 창섭이는 시골의 땅을 팔아서 새 건물을 살 계획으로 아버지를 설득하기 위해 고향에 온 것이다.

03 ①
창섭이는 병원을 확장하기 위한 돈이 필요해서 시골의 땅을 팔자고 하지만, 아버지는 고민 끝에 결국 이를 거절한다.

04 ③
#1 에서 창섭이는 자신이 자식으로서의 도리를 지키기 위해서, 지금의 병원을 확장하기 위해서, 더 큰 이익을 얻기 위해서 등과 같은 이유를 대며 '땅'을 팔아야 한다고 아버지를 설득하고 있다.

05 ⑤
#2 에서 땅에 대한 아버지의 생각을 알 수 있다. 아버지는 땅을 선조와 자신의 추억과 노력이 서려 있는 곳이자 삶의 터전으로 생각하며, 노력하는 사람에게 땅은 반드시 보답을 한다고 생각한다.

06 ⑤
창섭이는 땅을 소중히 여기는 아버지의 애착과 신념을 인정하고 존중하며, 그런 아버지를 훌륭하신 분이라고 생각하지만 자신 스스로가 땅에 대한 애착을 느끼지는 못한다. 창섭이는 자신이 아버지와 생각이 같을 수 없다는 점을 깨닫고 결별의 심사를 느낀다.

07 ㉠: 나무다리
㉡: 돌다리
옛날에 만들어져 오랜 세월을 함께한 ㉡ '돌다리'는 아버지의 전통적인 가치관을 나타내는 소재이다. 반면 편리함을 추구하는 창섭이의 근대적인 가치관을 나타내는 소재는 ㉠ '나무다리'이다.

08 ④
창섭이는 아버지와 달리 고향의 땅에 토포필리아를 느끼지 않는다. 땅을 팔아 병원을 옮길 돈을 마련하려고 했던 것과, 땅은 언제든지 팔았다가 다시 살 수 있다고 한 점에서 이를 알 수 있다.

보기 ∞ 돋보기
보기 는 장소에 대한 정서적 유대를 가리키는 '토포필리아'를 설명하고 있다. 이 글에서 주로 토포필리아의 대상이 되는 것은 '고향 땅'이다.

03 역마 김동리

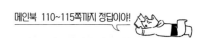

#장면별 핵심 태그

#1
체 장수 영감과 고향으로 떠나는 계연이를 붙잡지 못하고 바라만 보는
[# 성기]

#2
성기에게 검정
[# 사마귀]를 보여 주며 계연이와 자신의 관계를 밝히는 옥화

#3
[# 화갯골], 하동, 구례로 난 세 갈래 길에서 하동 쪽을 향해 길을 떠나는 성기

문제 정답 및 해설

작품 줄거리 1 체 장수 2 하동

01
인물 ○
사건 ✕
배경 ○
소재 ○

인물 옥화는 어머니를 이어 화개 장터에서 주막을 하고 있다.
사건 성기와 계연이는 서로에게 마음이 있지만 이별하고 만다.
배경 화개 장터에서는 체 장수 영감, 계연이, 성기 등 등장인물 간의 만남과 헤어짐이 반복된다.
소재 결말에서 성기는 엿장수가 되어 화갯골을 떠나므로, '엿판'은 성기가 운명에 따라 떠돌아다니는 삶을 선택했음을 보여 준다.

02 ③
계연이는 성기에게 하직 인사를 세 번이나 반복한다. 이는 겉으로는 작별을 고하는 것처럼 보이지만, 속으로는 성기가 자신을 잡아 주기를 바라는 간절한 마음을 표현한 것이다.

03 ②
성기는 역마살(이리저리 떠돌아다니게 된 액운)을 가진 인물이다. A는 어머니 옥화의 바람대로 정착하여 사는 삶이고, B는 계연이를 만날 수 있는 곳으로 계연이와 결혼하면 정착하여 사는 삶이므로 A와 B는 운명을 거스르는 삶이라 할 수 있다. 그러나 C는 방랑하며 사는 삶이므로 운명에 순응하는 삶이라고 할 수 있다.

04 ④
체 장수 영감이 서른여섯 해 전에 화개 장터에 왔을 때 옥화가 생겼으나 체 장수 영감은 이를 알지 못한다. 이 글에는 나타나지 않지만, 체 장수 영감이 계연이와 화개 장터에 온 것은 장날에 체를 팔기 위해서이다.

05 ④
이 글에는 '역마살'이라는 인간이 거역할 수 없는 운명과, 운명에서 벗어나기 위해 노력했지만 결국 순응하게 되는 인간(성기)의 갈등이 나타난다.

06 꽃주머니
옥화는 성기와 헤어지고 싶지 않은 계연이의 마음을 알면서도 계연이가 자신의 동생이기 때문에 어쩔 수 없이 모른 척하고 있다. 이복동생에 대한 애틋한 마음과 떠나보내야 하는 미안한 마음으로 옥화는 돈이 든 꽃주머니를 계연의 보따리에 정표로 넣어 주고 있다.

07 ②
성기는 계연이를 보내고 거의 죽을 지경으로 앓았으나, 옥화로부터 이야기를 들은 뒤 자신의 운명을 받아들였다. 그리고 자리에서 일어난 후, 결국 운명에 따라 떠돌이의 삶을 시작하였다.

04 진달래꽃 김소월

메인북 116~119쪽까지 정답이야!

#장면별 핵심 태그

#1
임이 떠난다면 가시는 길에 [# 진달래꽃]을 뿌리겠다는 화자

#2
임이 떠나도 결코 [# 눈물]을 흘리지 않겠다는 화자

문제 정답 및 해설

01
화자 ✕
시어 ○
표현 ○

화자 이 시의 화자는 '나'로, 혼자 말하고 있다.
시어 '진달래꽃'은 이 시의 제목이자 중심 소재로, 임에 대한 화자의 마음을 나타낸다.
표현 화자는 임이 떠나면 무척 슬퍼할 것이면서, 겉으로는 죽어도 울지 않겠다고 속마음을 반대로 표현하고 있다.

02 ③

이 시는 붉고 선명한 진달래꽃의 이미지를 통해 이별의 상황과 이에 대한 화자의 정서를 시각적으로 드러내고 있으나 진달래꽃과 대조되는 이미지의 시어를 사용하고 있지는 않다.

03 ⑤

화자는 임과의 이별 상황을 가정하며 임과 이별하게 되더라도 임이 떠나는 길을 축복하고 슬픔을 참고 견디겠다고 다짐하고 있다.

04 ④

화자는 임과의 이별 상황을 가정하고 있으므로, ㉠ '진달래꽃'이 임과 화자가 맞이할 긍정적인 앞날을 나타낸다고 볼 수 없다.

05 ①

'애이불비(哀而不悲)'는 슬프지만 겉으로는 슬픔을 나타내지 않는다는 의미로, 이별의 아픔을 참고 견디는 화자의 자세가 그대로 드러나는 표현이다.
② '산화공덕'은 '부처에게 꽃을 뿌리며 공덕을 기림.', ③ '안하무인'은 '방자하고 교만하여 다른 사람을 업신여김.', ④ '동병상련'은 '어려운 처지에 있는 사람끼리 서로 가엾게 여김.', ⑤ '유아독존'은 '세상에서 자기 혼자 잘났다고 뽐냄.'이라는 뜻이다.

06 죽어도 아니 눈물 흘리우리다

겉에 드러난 내용이 속마음과 반대로 표현된 것 즉, 반어적 표현은 '죽어도 아니 눈물 흘리우리다'이다. 화자는 떠나는 임을 붙들며 제발 떠나지 말라고 말하고 싶지만 눈물도 흘리지 않고 고이 보내 드리겠다며 자신의 속마음과는 반대로 표현하고 있다.

07 1연: 체념
2연: 축복
3연: 희생
4연: 극복

화자는 만약 임이 자신을 버리고 떠나가더라도 변함없이 임을 사랑하겠다는 자기희생과 인내의 자세를 보여 준다. 이처럼 '체념 → 축복 → 희생 → 극복'으로 나타나는 화자의 태도를 묻는 문제는 다양한 형식으로 변형되어 출제되기도 한다.

08 ①

떠나는 임을 축복하고 슬픔을 인내하는 이 시의 화자와 달리 보기의 화자는 자신을 떠난 임은 병이 날 것이라고 하고 있지만 둘 다 이별할 때의 정과 한을 노래하고 있다는 점에서는 비슷하다.

05 **돌담에 속삭이는 햇발** 김영랑

#장면별 핵심 태그

#1
봄 [# 하늘]을
우러르고 싶은 마음

#2
[# 실비단] 같은
봄 하늘을 바라보고 싶은 마음

문제 정답 및 해설

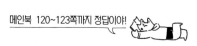
메인북 120~123쪽까지 정답이야!

01
화자 ○
시어 ○
표현 ✕

화자 1연의 '내 마음'으로 보아 화자는 겉으로 드러난 '나'이다.
시어 '돌담', '샘물', '물결' 등의 시어는 긍정적이고 아름다운 뜻을 가졌고, 울림소리가 많이 쓰여 밝고 경쾌한 느낌을 준다.
표현 하늘을 동경하고 희망하는 화자의 소망이 1연과 2연에 공통적으로 나타난다.

02 ②

이 시의 1연과 2연은 모두 과거가 아니라 '오늘 하루', 즉 현재 화자가 가지고 있는 소망을 드러내고 있다.

03 돌담에∨속삭이는
∨햇발같이
풀 아래∨웃음 짓는∨
샘물같이

이 시는 **보기**의 「연분홍」과 같이 시행을 세 개의 단위로 끊어 읽는 3음보의 운율이 나타난다.

보기 👀 돋보기
보기의 「연분홍」은 7자와 5자의 글자 수가 규칙적으로 나타나는 7·5조의 운율과 각 행을 세 부분으로 나누어 읽는 3음보의 운율이 나타난다.

04 ②

「진달래꽃」에서 '나 보기가 역겨워(7) / 가실 때에는(5)'이나 「연분홍」에서 '봄바람 하늘하늘(7)넘노는 길에(5)'는 7글자와 5글자가 규칙적으로 반복된다. 그러나 이 시에서는 7글자와 5글자가 반복적으로 사용되는 부분을 찾을 수 없다.

05 ③

제시된 시행에는 촉각적 심상(보드레한)과 시각적 심상(에메랄드 얇게 흐르는)이 나타난다. ③의 '서느런'은 '물체의 온도나 기온이 꽤 찬 듯한.'이라는 뜻으로, 촉각적 심상이 나타난다.
①은 미각, ②와 ④는 청각, ⑤는 후각적 심상이 나타난다.

06 ④

'동경하다'의 의미는 '어떤 것을 간절히 그리워하여 그것만을 생각한다.'이다. 이 시의 화자는 평화롭고 순수한 이상적 세계인 하늘을 동경하여 하늘을 바라보고 싶어 한다.

07 돌담에 속삭이는 햇발같이, 풀 아래 웃음 짓는 샘물같이

1연의 1행과 2행에서는 사람이 아닌 햇살이 사람처럼 속삭인다고 하거나, 자연물인 샘물이 사람처럼 웃음을 짓는다고 하면서 의인법을 사용하고 있다.

08 ⑤

'에메랄드'는 '내 마음'이 아니라 '하늘'을 비유하고 있는 시어이다.

09 ③

'시의 가슴'은 곱고 순수한 마음, 밝고 아름다운 마음, 시적 정서가 가득한 마음을 빗대어 표현한 것으로 은유법이 사용되었다.

어휘로 마무리

01
(1) ─ ㉠
(2) ─ ㉡
(3) ─ ㉢

(1) 염하다: 값이 싸다. ⇔ ㉢ 비싸다: 물건값이나 사람 또는 물건을 쓰는 데 드는 비용이 보통보다 높다.
(2) 꺼지다: 물체의 바닥 따위가 내려앉아 빠지다. ⇔ ㉠ 솟다: 바닥에서 위로 나온 상태가 되다.
(3) 이르다: 기준을 잡은 때보다 앞서거나 빠르다. ⇔ ㉡ 늦다: 정해진 때보다 지나다. 기준이 되는 때보다 뒤져 있다.

02 ③

밑줄 친 '길'은 '사람이나 동물 또는 자동차 따위가 지나갈 수 있게 땅 위에 낸 일정한 너비의 공간.'을 뜻하는 말이다.
③의 '길'은 '어떠한 일을 하는 도중이나 기회.'를 가리킨다.

03 ③

'피땀'은 '피와 땀.'을 이르기도 하지만, 제시된 글에서는 '무엇을 이루기 위하여 애쓰는 노력과 정성을 비유적으로 이르는 말.'로 쓰였다.

04
(1) 넘어
(2) 지그시
(3) 반듯이

(1) '너머'는 '가로막은 사물의 저쪽 또는 그 공간.', '넘어'는 '일정한 시간에서 벗어나 지난.'이라는 뜻이다.
(2) '지긋이'는 '나이가 비교적 많아 듬직하게. 참을성 있게 끈지게.', '지그시'는 '슬며시 힘을 주는 모양. 조용히 참고 견디는 모양.'을 뜻한다.
(3) '반듯이'는 '비뚤어지거나 기울거나 굽지 않고 바르게.'라는 뜻이고, '반드시'는 '틀림없이 꼭.'이라는 뜻이다.

05
(1) ㉠
(2) ㉡

(1) ㉡ '몰랑거리는'은 '매우 또는 여기저기가 야들야들하게 보드랍고 조금 무른 듯한 느낌이 드는.', ㉠ '두둘두둘한'은 '물체의 겉에 불룩한 것들이 솟아 나오거나 붙어 있어 고르지 아니한.'이라는 뜻이다.
(2) ㉠ '말끔히'는 '티 없이 맑고 환할 정도로 깨끗하게.', ㉡ '당당히'는 '남 앞에서 내세울 만큼 떳떳한 모습이나 태도로.'라는 뜻이다.

06 ③

'바람'은 '바람에'와 같은 구성으로 쓰여 뒷말의 근거나 원인을 나타내는 말이다.
① '지경'은 '경우'나 '형편', '정도'의 뜻을 나타내는 말이다. ② '상태'는 '사물·현상이 놓여 있는 모양이나 형편.'을 말한다. ④ '덕분'은 '베풀어 준 은혜나 도움.'을 뜻한다. ⑤ '형편'은 '일이 되어 가는 상태나 경로 또는 결과.'를 뜻한다.

07 ㉢

'나'는 점순이네 수탉과의 싸움에서 우리 집 닭이 이겼으면 하는 마음에 닭에게 고추장 물을 먹이고 있다. 하지만 수탉에게 고추장 물을 먹인다고 해서 닭이 싸움을 잘하게 되는 것은 아니며, 고추장 물을 먹은 닭은 힘이 세지기는커녕 오히려 기절한다. 잘 알지도 못하고 수탉에게 고추장을 먹이는 '나'에게 해 줄 말로는 '아는 것이 없고 사리에 어두움.'을 뜻하는 '무지몽매(無知蒙昧)'가 적절하다.
㉠ '다다익선(多多益善)'은 '많으면 많을수록 더욱 좋음.'을 뜻하는 말이다. ㉡ '개과천선(改過遷善)'은 '지난날의 잘못이나 허물을 고쳐 올바르고 착하게 됨.'이라는 뜻이다.

08 ㉡

아버지는 땅에 꾸준히 관심을 두어 가꾸는 것이 아니라 급할 때 화학 비료를 넣는 것은 땅을 홀대하는 것이라고 비판하고 있다. 화학 비료를 주는 것은 당장에는 효과가 나타나지만 진정한 해결책은 아니므로, 임시변통은 될지 모르나 그 효력이 오래가지 못할 뿐만 아니라 결국에는 사태가 더 나빠짐을 비유적으로 이르는 속담인 '언 발에 오줌 누기'와 의미가 통한다.
㉠ '가는 날이 장날'은 어떤 일을 하려고 하는데 뜻하지 않은 일을 공교롭게 당함을 비유적으로 이르는 말이다. ㉡ '구슬이 서 말이라도 꿰어야 보배'는 아무리 훌륭하고 좋은 것이라도 다듬고 정리하여 쓸모 있게 만들어 놓아야 값어치가 있음을 비유적으로 이르는 말이다.

32
독해력

매일 스스로 공부하는

맞춤법 어휘력

2단계
초등 1~2학년

정답 및 해설

BM (주)도서출판 성안당

2단계
초등 1~2학년

BM (주)도서출판 성안당

정답 및 해설

1-1 악기의 종류 알아보기

01. 관악기

02. 현악기

03. 타악기

해설

01. 관악기의 '관(管)'은 '긴 관'을 의미하는 한자어입니다.

02. 현악기의 '현(絃)'은 '줄'을 의미하는 한자어입니다.

03. 타악기의 '타(打)'는 '치다, 때리다'를 의미하는 한자어입니다.

1-2 종류에 따라 악기 나누기

* 현악기

01. 바이올린   02. 첼로

03. 하프   04. 밴조

* 관악기

01. 트럼펫   02. 플루트

03. 색소폰   04. 오보에

* 타악기

01. 탬버린   02. 트라이앵글

03. 큰북   04. 실로폰

1-3 어휘력 키우는 비슷한 말과 반대말

* 비슷한 말끼리 선 긋기

* 낱말 초성 퀴즈 1

01. 술래   02. 단짝

03. 수의사   04. 소동

* 반대말끼리 선 긋기

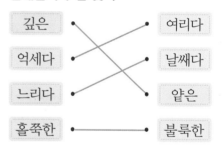

* 낱말 초성 퀴즈 2

01. 비밀   02. 참기름

03. 빗자루   04. 박물관

1-4 표현력 키우는 다양한 낱말 익히기

* 낱말 찾아 문장 완성하기 1

01. 질겅질겅

02. 몽실몽실

03. 고슬고슬

* 낱말 찾아 문장 완성하기 2

01. 오물오물
02. 끔벅끔벅
03. 모락모락

* 낱말 찾아 문장 완성하기 3

01. 조마조마한
02. 평화로운
03. 원망스러운

* 낱말 찾아 문장 완성하기 4

01. 뿌듯한
02. 못마땅한
03. 서럽게

1-5 문장 바르게 띄어쓰기

01. 어느 날 누나 친구가 놀러 왔다.

	어	느		날		누	나		친
구	가		놀	러		왔	다	.	

02. 어깨에 메고 있는 것이 무엇이니?

	어	깨	에		메	고		있	는
것	이		무	엇	이	니	?		

03. 황새가 날아드는 것을 보았다.

	황	새	가		날	아	드	는	
것	을		보	았	다	.			

04. 동생은 어릴 때 정말 귀여웠어요.

	동	생	은		어	릴		때	
정	말		귀	여	웠	어	요	.	

해설

의미가 있는 낱말은 띄어 씁니다. 01. '어느'는 '날' 을 꾸며 주는 독립된 낱말이므로 띄어 씁니다. 04. '때'는 특정 시간의 어떤 순간을 나타내는 낱 말이므로 띄어 씁니다.

1-6 헷갈리는 맞춤법 바로잡기

01. 겁쟁이	02. 곰팡이
03. 공짜	04. 괜스레
05. 궁둥이	06. 기저귀

2단원 20~29쪽

2-1 직업 관련 낱말 익히기

01. 조종사	02. 승무원
03. 지휘자	04. 사육사
05. 건축가	06. 영양사

2-2 어휘력 키우는 비슷한 말과 반대말

* 비슷한 말끼리 선 긋기

* 낱말 초성 퀴즈 1

01. 연필깎이	02. 분실물
03. 색연필	04. 졸업

* 반대말끼리 선 긋기

* 낱말 초성 퀴즈 2

01. 페달   02. 현관

03. 놀이터   04. 자전거

2-3 표현력 키우는 다양한 낱말 익히기

* 낱말 찾아 문장 완성하기 1

01. 야금야금

02. 우적우적

03. 부랴부랴

* 낱말 찾아 문장 완성하기 2

01. 날름날름

02. 와삭와삭

03. 쩌렁쩌렁

* 낱말 찾아 문장 완성하기 3

01. 위로하며

02. 칭찬하는

03. 존경하는

* 낱말 찾아 문장 완성하기 4

01. 시기했다

02. 충고했다

03. 실망했다

2-4 문장 바르게 띄어쓰기

01. "새 운동화를 사러 가야겠구나."

"	새		운	동	화	를		사
러		가	야	겠	구	나	.	"

02. "엄마, 이 운동화를 사고 싶어요."

"	엄	마	,		이		운	동	화
를		사	고		싶	어	요	.	"

03. 나는 처음 와 본 도서관이 신기했다.

나	는		처	음		와		본
도	서	관	이		신	기	했	다	.

04. 도서관에서 책이 더 잘 읽힌다.

	도	서	관	에	서		책	이	
더		잘		읽	힌	다	.		

> **해설**
>
> 의미가 있는 낱말은 띄어 씁니다. 01. '새'는 '새로운'이라는 뜻이고, 02. '이'는 '이것'을 뜻하므로 모두 띄어 씁니다. 03. '와'는 '오다'의 뜻이고, 04. '더'는 '더욱'이라는 뜻이 있으므로 모두 띄어 씁니다.

2-5 헷갈리는 맞춤법 바로잡기

01. 깊숙이   02. 날름

03. 꼭지   04. 꾸짖으셨다

05. 넓적다리   06. 복슬복슬

> **해설**
>
> 살이 찌고 털이 많아서 귀엽고 탐스러운 모양은 '복슬복슬'로 표현합니다. '복실복실'로 쓰는 경우가 많은데, 이것은 잘못된 표현입니다.

 3단원   30~39쪽

3-1 동물의 종류 알아보기

01. 포유류   02. 파충류

03. 양서류   04. 조류

3-2 동물 종류에 맞게 나누기

01. | 포 | 유 | 류 | ▶ (박쥐, 고래)

02. | 파 | 충 | 류 | ▶ (악어, 도마뱀)

03. | 양 | 서 | 류 | ▶ (두꺼비, 도롱뇽)

04. | 조 | 류 | ▶ (펭귄, 타조)

01. 박쥐와 고래는 새끼를 낳아 젖을 먹이는 포유류입니다. 04. 펭귄과 타조는 날 수 없지만 깃털이 있는 날개를 가지고 있고, 알을 낳는 조류입니다.

3-3 어휘력 키우는 비슷한 말과 반대말

* 비슷한 말끼리 선 긋기

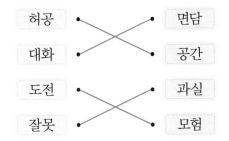

* 낱말 낱말 초성 퀴즈 1

01. 사다리
02. 재활용
03. 향기
04. 운동장

* 반대말끼리 선 긋기

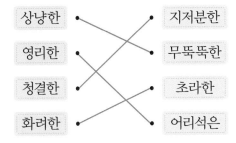

* 낱말 초성 퀴즈 2

01. 배탈
02. 공터
03. 새벽
04. 간판

3-4 표현력 키우는 다양한 낱말 익히기

* 낱말 찾아 문장 완성하기 1

01. 보아하니
02. 이런저런
03. 어쩌다가

* 낱말 찾아 문장 완성하기 2

01. 고래고래
02. 아삭아삭
03. 털레털레

* 낱말 찾아 문장 완성하기 3

01. 수많은
02. 틀림없는
03. 올바른

* 낱말 찾아 문장 완성하기 4

01. 아찔한
02. 친근한
03. 뚜렷한

3-5 문장 바르게 띄어쓰기

01. 흉내 내는 말을 넣어 글을 쓰세요.

흉	내		내	는		말	을
넣	어		글	을		쓰	세	요	.

02. 시원한 바람이 산들산들 불어옵니다.

시	원	한		바	람	이		산
들	산	들		불	어	옵	니	다	.

03. 흰 구름이 뭉게뭉게 피어납니다.

흰		구	름	이		뭉	게	뭉
게		피	어	납	니	다	.

04. 가장 기억에 남는 이야기 속 인물은?

가	장		기	억	에		남	는
이	야	기		속		인	물	은	?

두 개의 낱말이 합쳐져 만들어진 낱말은 한 단어로 보고 붙여 씁니다. 02. '불어옵니다'는 '불어오다'라는 한 낱말이 변한 말이므로 붙여 씁니다. 03. '피어납니다'도 '피어나다'라는 한 낱말이 변한 말이므로 붙여 씁니다. 04. '속'은 '안쪽'을 의미하는 낱말이므로 띄어 씁니다.

3-6 헷갈리는 맞춤법 바로잡기

01. 도로　　　　02. 노른자위
03. 누더기　　　04. 마구잡이
05. 데우다　　　06. 도넛

 4단원 　　40~49쪽

4-1 물건을 세는 알맞은 단위 익히기

01. 그루　　　　02. 송이
03. 켤레　　　　04. 벌
05. 채　　　　　06. 톨
07. 척

4-2 어휘력 키우는 비슷한 말과 반대말

* 비슷한 말끼리 선 긋기

* 낱말 초성 퀴즈 1

01. 손수레　　　02. 그림자
03. 도둑　　　　04. 도끼

* 반대말끼리 선 긋기

* 낱말 초성 퀴즈 2

01. 연못　　　　02. 한숨
03. 악몽　　　　04. 그림책

4-3 표현력 키우는 다양한 낱말 익히기

* 낱말 찾아 문장 완성하기 1

01. 아른아른
02. 차곡차곡
03. 꾸역꾸역

* 낱말 찾아 문장 완성하기 2

01. 사르르
02. 뽈뽈이
03. 파르르

* 낱말 찾아 문장 완성하기 3

01. 인자한
02. 억울한
03. 황당한

* 낱말 찾아 문장 완성하기 4

01. 기름진
02. 평평한
03. 아늑한

4-4 문장 바르게 띄어쓰기

01. 아주 먼 옛날 한 소년이 살았어요.

	아	주		먼		옛	날		한
소	년	이		살	았	어	요	.	

02. 올챙이가 점점 자라 뒷다리가 나왔다.

	올	챙	이	가		점	점		자
라		뒷	다	리	가		나	왔	다 .

03. 게으름을 피우지 않고 살았어요.

	게	으	름	을		피	우	지	
않	고		살	았	어	요	.		

04. 꼬리가 없어지고 개구리가 되었다.

	꼬	리	가		없	어	지	고	
개	구	리	가		되	었	다	.	

> **해설**
>
> 01. '한 소년'의 '한'은 띄어 써야 하지만 띄어 쓸 칸이 없을 경우, 다음 줄에서 띄어 쓰지 않고 바로 이어 씁니다. 02. 끝에 마침표를 쓸 칸이 없으면, 칸 바깥에 씁니다.

4-5 헷갈리는 맞춤법 바로잡기

01. 따갑다   02. 똑똑히
03. 구덩이   04. 뿌리째
05. 산봉우리   06. 머릿속

> **해설**
>
> 06. '머릿속'은 '머리'라는 낱말과 '속'이라는 낱말이 합쳐져 만들어진 낱말입니다. 두 낱말이 합쳐진 낱말에서 뒷말이 세게 발음되면 사이시옷을 넣습니다. 따라서 '머릿속'은 [머리쏙]으로 세게 발음되므로 사이시옷이 들어갑니다.

4-6 따옴표의 종류와 쓰임 이해하기

* 큰따옴표 사용하는 경우

01.

> ┌ " ┐ 세광아, 내일 만나서 함께 가자. ┌ " ┐

02.

> 고대 그리스의 철학자인 아리스토텔레스는 ┌ " ┐ 불가능해 보이는 것은 불확실한 가능성보다 항상 더 낫다. ┌ " ┐ 라는 유명한 명언을 남겼다.

* 작은따옴표 사용하는 경우

03.

> ┌ ' ┐ 나도 어른이 되면 꼭 해 봐야지. ┌ ' ┐

04.

> 선생님께서는 ┌ " ┐ 여러분! ┌ ' ┐ 비 온 뒤에 땅이 굳어진다. ┌ ' ┐ 는 말을 알고 있지요? ┌ " ┐ 라고 말씀하시며 우리를 격려해 주셨습니다.

5단원   50~59쪽

5-1 수컷과 암컷 이름 익히기

* 기초 연습

01. 수탉   02. 암탉

* 실전 연습

01. 수캐, 암캐
02. 수퇘지, 암퇘지
03. 수탕나귀, 암탕나귀
04. 수평아리, 암평아리

> **해설**
>
> 01. 개는 'ㄱ'이 'ㅋ'으로 거세게 소리 나므로 '수캐, 암캐'로 씁니다.
>
> 02. 03. 돼지와 당나귀는 'ㄷ'이 'ㅌ'으로 거세게 소리 나므로 '수퇘지, 암퇘지, 수탕나귀, 암탕나귀'로 씁니다.
>
> 04. 병아리는 'ㅂ'이 'ㅍ'으로 거세게 소리 나므로 '수평아리, 암평아리'로 씁니다.

5-2 어휘력 키우는 비슷한 말과 반대말

* 비슷한 말끼리 선 긋기

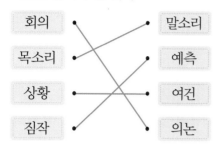

* 낱말 낱말 초성 퀴즈 1

01. 부엌　　　02. 풍년
03. 행운　　　04. 거인

* 반대말끼리 선 긋기

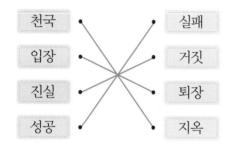

* 낱말 초성 퀴즈 2

01. 분수　　　02. 잠꼬대
03. 헛수고　　04. 군것질

5-3 표현력 키우는 다양한 낱말 익히기

* 낱말 찾아 문장 완성하기 1

01. 여태껏
02. 때때로
03. 어느덧

* 낱말 찾아 문장 완성하기 2

01. 진작
02. 선뜻
03. 자칫

* 낱말 찾아 문장 완성하기 3

01. 거슬리는
02. 머뭇거리다
03. 다짐하고

* 낱말 찾아 문장 완성하기 4

01. 긴장해서
02. 배려하여
03. 마음먹은

5-4 문장 바르게 띄어쓰기

01. 쓰레기를 함부로 버리지 말자.

	쓰	레	기	를		함	부	로	
버	리	지		말	자	.			

02. 지구를 위해 환경을 보호해야 한다.

	지	구	를		위	해		환	경
을		보	호	해	야		한	다	.

03. 우산을 찾지 못하면 새로 사야 해.

	우	산	을		찾	지		못	하
면		새	로		사	야		해	.

04. 셀 수 없을 만큼 많은 별이 있다.

	셀		수		없	을		만	큼
많	은		별	이		있	다	.	

5-5 헷갈리는 맞춤법 바로잡기

01. 수세미　　02. 몹시
03. 무릅쓰고　04. 문지르다
05. 부잣집　　06. 수돗물

> **해설**
> 두 낱말이 합쳐져 새로운 낱말이 된 경우 발음을
> 위해 사이시옷이 들어갈 때가 있습니다.
> 05. '부잣집(부자+집)'과 같이 읽을 때 [부자찝]

으로 뒷말이 세게 발음되는 경우 사이시옷을 넣습니다.

06. '수돗물(수도＋물)'과 같이 [수돈물]로 'ㄴ' 소리가 추가되어 발음되는 경우에도, 사이시옷을 넣어 '수돗물'로 씁니다.

5-6 어떤 것을 가리키는 낱말 익히기

01. 이것
02. 저것
03. 그것
04. 그것
05. 이것
06. 저것

6단원   60~71쪽

6-1 신기한 바다 동물 이름 익히기

01. 불가사리
02. 해파리
03. 산호
04. 말미잘

6-2 신기한 곤충 이름 익히기

01. 메뚜기
02. 소금쟁이
03. 사마귀
04. 소똥구리
05. 사슴벌레
06. 장수풍뎅이

6-3 어휘력 키우는 비슷한 말과 반대말

* 비슷한 말끼리 선 긋기

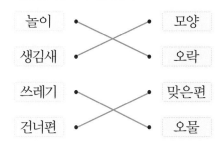

* 낱말 초성 퀴즈 1

01. 꼭두각시
02. 망토
03. 안개
04. 정원

* 반대말끼리 선 긋기

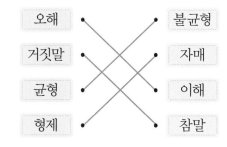

* 낱말 초성 퀴즈 2

01. 팻말
02. 새싹
03. 국경
04. 반찬

6-4 표현력 키우는 다양한 낱말 익히기

* 낱말 찾아 문장 완성하기 1

01. 곧장
02. 겨우
03. 빤히

* 낱말 찾아 문장 완성하기 2

01. 워낙
02. 전혀
03. 그저

* 낱말 찾아 문장 완성하기 3

01. 멋쩍게
02. 적절한
03. 엉뚱한

* 낱말 찾아 문장 완성하기 4

01. 눈부신
02. 은은한
03. 순진한

6-5 문장 바르게 띄어쓰기

01. 외딴 시골에 자식 없는 부부가 있었다.

	외	딴		시	골	에		자	식
없	는		부	부	가		있	었	다	.

02. 쓰레기를 치워 주셔서 감사합니다.

	쓰	레	기	를		치	워		주
셔	서		감	사	합	니	다	.	

03. 저 사람이 누구인지 알고 있나요?

	저		사	람	이		누	구	인
지		알	고		있	나	요	?	

04. 내 동생은 곱슬머리이다.

	내		동	생	은		곱	슬	머
리	이	다	.						

6-6 헷갈리는 맞춤법 바르게 고치기

01. 나이테   02. 주근깨
03. 쪼끔·쪼금   04. 짭짤한
05. 이파리

> **해설**
>
> 02. '쪼끔'은 '조금'의 센 말로, '조금'보다 더 적은
> 것을 강조할 때 씁니다. '쬐끔'은 틀린 말입니다.
> 05. '이파리'는 '잎+아리'가 합쳐진 낱말입니다.
> '잎'의 받침 'ㅍ'이 뒷말의 초성 'ㅇ'으로 넘어가
> [이파리]로 소리 나는 대로 씁니다.

6-7 글을 바르게 띄어 읽기

* **실전 연습**

> 아프리카 사막에 사는∨사막여우는∨귀가
> 아주 큽니다.∨얇고 큰 귀는∨몸 안의 열을
> 내보냅니다.∨사막여우의 길고 두꺼운 털
> 은∨낮에는 햇빛을 막아 주고,∨밤에는 몸
> 을 따뜻하게 해 줍니다.

6-8 글쓰기 실력 키우는 관용어 익히기

01. 가슴이   02. 가슴에
03. 간이   04. 쓰다
05. 질리다   06. 차다

7단원   72~83쪽

7-1 얼굴 관련 낱말 익히기

01. 미간   02. 관자놀이
03. 광대뼈   04. 인중

7-2 눈, 코, 귀 관련 낱말 익히기

01. 흰자위   02. 눈동자
03. 홍채   04. 콧등
05. 콧방울   06. 귓바퀴
07. 귓불

7-3 어휘력 키우는 비슷한 말과 반대말

* **비슷한 말끼리 선 긋기**

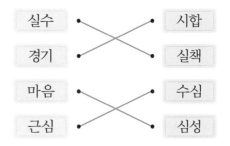

* **낱말 초성 퀴즈 1**

01. 눈물   02. 헛간
03. 가격   04. 무기

* 반대말끼리 선 긋기

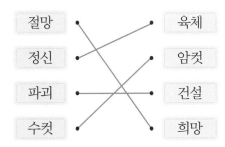

절망 — 희망
정신 — 육체
파괴 — 건설
수컷 — 암컷

* 낱말 초성 퀴즈 2

01. 갑옷   02. 항복
03. 봉지   04. 김장

7-4 표현력 키우는 다양한 낱말 익히기

* 낱말 찾아 문장 완성하기 1

01. 망가진
02. 갈고닦은
03. 뒤이어

* 낱말 찾아 문장 완성하기 2

01. 베풀어
02. 살피고
03. 빗대어

* 낱말 찾아 문장 완성하기 3

01. 애쓰는
02. 지쳐서
03. 짐작하고

* 낱말 찾아 문장 완성하기 4

01. 투덜대는
02. 표현하기
03. 들러붙어서

7-5 문장 바르게 띄어쓰기

01. 오랜 시간이 흐른 뒤에 알게 되었다.

	오	랜		시	간	이		흐	른
뒤	에		알	게		되	었	다	.

02. 식물을 아끼고 보호해야 한다.

	식	물	을		아	끼	고		보
호	해	야		한	다	.			

03. 채영이는 종이접기를 좋아합니다.

	채	영	이	는		종	이	접	기
를		좋	아	합	니	다	.		

04. 새로 제 짝이 된 친구는 지호입니다.

	새	로		제		짝	이		된
친	구	는		지	호	입	니	다	.

7-6 헷갈리는 맞춤법 바르게 고치기

01. 비비고   02. 정강이
03. 시월   04. 아끼기
05. 아무튼

7-7 시와 관련된 낱말 이해하기

01. 낭송   02. 암송
03. 운율   04. 행
05. 연

* 시의 구성 요소 익히기

01. 지은이   02. 1행
03. 3행   04. 1연
05. 2연

7-8 글쓰기 실력 키우는 관용어 익히기

01. 가다   02. 캄캄하다
03. 켜다   04. 눈이
05. 눈코   06. 머리를

8단원　　84~95쪽

8-1 마을 입구에 있는 옛것 이름 익히기

01. 솟대
02. 장승
03. 돌하르방

8-2 전통 악기 이름 익히기

01. 가야금
02. 대금
03. 해금

8-3 어휘력 키우는 비슷한 말과 반대말

* 비슷한 말끼리 선 긋기

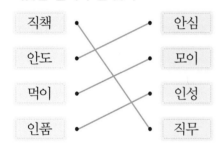

* 낱말 초성 퀴즈 1

01. 초가집　　02. 유행어
03. 오염　　　04. 단추

* 반대말끼리 선 긋기

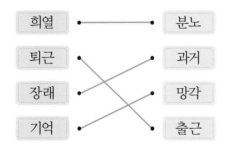

* 낱말 초성 퀴즈 2

01. 세균　　　02. 산사태
03. 누룽지　　04. 뿌리

8-4 표현력 키우는 다양한 낱말 익히기

* 낱말 찾아 문장 완성하기 1

01. 신기한
02. 새콤한
03. 시무룩한

* 낱말 찾아 문장 완성하기 2

01. 호되게
02. 힘겹게
03. 점잖게

* 낱말 찾아 문장 완성하기 3

01. 받치고
02. 다물고
03. 괴고

* 낱말 찾아 문장 완성하기 4

01. 술렁거렸다
02. 반짝거렸다
03. 꿈틀거렸다

8-5 문장 바르게 띄어쓰기

01. 매일 아침마다 줄넘기를 합니다.

	매	일		아	침	마	다		줄
넘	기	를		합	니	다	.		

02. 주아는 흰 얼굴과 큰 키를 가졌다.

	주	아	는		흰		얼	굴	과
큰		키	를		가	졌	다	.	

03. 기헌이는 다섯 명 중에서 일 등이다.

	기	헌	이	는		다	섯		명
중	에	서		일		등	이	다	.

04. 우리 반에서 예나와 제일 친하다.

	우	리		반	에	서		예	나
와		제	일		친	하	다	.	

8-6 헷갈리는 맞춤법 바르게 고치기

01. 안팎   02. 없음
03. 역할   04. 온종일
05. 원수

> **해설**
> 01. '안팎'은 '안'과 '밖'이 합쳐진 낱말로, '밖'이 거세게 소리 나면서 '안팎'으로 씁니다.

8-7 낱말 바르게 소리 내어 읽기

* 실전 연습
01. 구름이   02. 집으로
03. 할아버지   04. 목요일
05. 보름달   06. 약국

8-8 글쓰기 실력 키우는 관용어 익히기

01. 쓰다   02. 배다
03. 치다   04. 발을
05. 배꼽을   06. 약이

 9단원   96~107쪽

9-1 올림픽 관련 낱말 익히기

* 동계 올림픽 종목 맞히기
01. 봅슬레이   02. 쇼트트랙
03. 피겨 스케이팅 04. 컬링

* 하계 올림픽 종목 맞히기
01. 양궁   02. 레슬링
03. 역도   04. 육상
05. 체조   06. 펜싱

9-2 운동 종목 이름 맞히기

01. 배드민턴   02. 테니스
02. 복싱   04. 핸드볼
05. 탁구   06. 태권도

9-3 운동과 놀이 기구 이름 맞히기

01. 과녁   02. 훌라후프
03. 아령   04. 평균대
05. 회전목마   06. 롤러코스터

9-4 어휘력 키우는 비슷한 말과 반대말

* 비슷한 말끼리 선 긋기

* 낱말 초성 퀴즈 1
01. 낭비   02. 습관
03. 계곡   04. 과수원

* 반대말끼리 선 긋기

* 낱말 초성 퀴즈 2
01. 절약   02. 천둥
03. 홍수   04. 부화

9-5 표현력 키우는 다양한 낱말 익히기

＊낱말 찾아 문장 완성하기 1

01. 두드리는
02. 일궈
03. 벌어지고

＊낱말 찾아 문장 완성하기 2

01. 실천하기
02. 빼앗아
03. 북적거리기

＊낱말 찾아 문장 완성하기 3

01. 왁자지껄하게
02. 중얼거리며
03. 부스럭거리는

＊낱말 찾아 문장 완성하기 4

01. 덮쳐
02. 내뿜는
03. 뒤쫓아

9-6 문장 바르게 띄어쓰기

01. 여러분, 가슴을 활짝 펴고 앉으세요.

	여	러	분	,	가	슴	을		활
짝		펴	고		앉	으	세	요	.

02. 바구니에 빨간 사과가 가득 있었다.

	바	구	니	에		빨	간		사
과	가		가	득		있	었	다	.

03. 갑자기 나도 모르게 짜증이 났다.

	갑	자	기		나	도		모	르
게		짜	증	이		났	다	.	

04. 한 가지 주의할 점이 있었다.

	한		가	지		주	의	할	
점	이		있	었	다	.			

9-7 헷갈리는 맞춤법 바르게 고치기

01. 웬일   02. 윗도리
03. 장롱   04. 존댓말
05. 조각

9-8 글쓰기 실력 키우는 관용어 익히기

01. 인상을   02. 입술을
03. 입을   04. 정신을
05. 침   06. 코가

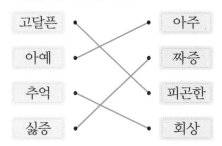

10단원   108~119쪽

10-1 병원 종류와 하는 일 익히기

01. 안과   02. 이비인후과
03. 정형외과   04. 피부과
05. 산부인과   06. 치과

10-2 생활에 유용한 도구 이름 익히기

01. 줄자   02. 못
03. 드라이버   04. 망치
05. 톱   06. 드릴

10-3 주방 도구 이름 익히기

01. 뒤집개   02. 밀대
03. 밥솥   04. 도마
05. 후라이팬   06. 체

10-4 어휘력 키우는 비슷한 말과 반대말

＊비슷한 말끼리 선 긋기

고달픈 — 피곤한
아예 — 아주
추억 — 회상
싫증 — 짜증

* 낱말 초성 퀴즈 1

01. 급식   02. 주사위

03. 장독   04. 텃새

* 반대말끼리 선 긋기

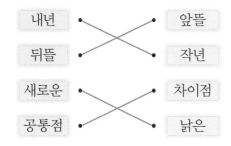

내년 ─ 작년
뒤뜰 ─ 앞뜰
새로운 ─ 낡은
공통점 ─ 차이점

* 낱말 초성 퀴즈 2

01. 책갈피   02. 어부

03. 엽전   04. 정류장

10-5 표현력 키우는 다양한 낱말 익히기

* 낱말 찾아 문장 완성하기 1

01. 다다랐다

02. 다듬었다

03. 욱여넣었다

* 낱말 찾아 문장 완성하기 2

01. 스며든다

02. 넘어왔다

03. 물려줬다

* 낱말 찾아 문장 완성하기 3

01. 둘러쳤다

02. 휘말렸다

03. 어울린다

* 낱말 찾아 문장 완성하기 4

01. 거들고

02. 아끼는

03. 머물다

10-6 문장 바르게 띄어쓰기

01. 텃밭에 수박만 한 호박이 열렸다.

	텃	밭	에		수	박	만		한
호	박	이		열	렸	다	.		

02. 그와 대화를 할수록 더 화가 났다.

	그	와		대	화	를		할	수
록		더		화	가		났	다	.

03. 여러 사람 앞에서도 당당했다.

	여	러		사	람		앞	에	서
도		당	당	했	다	.			

04. 소녀는 털썩 주저앉아 울고 있었다.

	소	녀	는		털	썩		주	저
앉	아		울	고		있	었	다	.

10-7 헷갈리는 맞춤법 바르게 고치기

01. 촉촉이   02. 통틀어

03. 헝겊   04. 혼잣말

05. 휴게소

> **해설**
>
> 04. '혼잣말'은 '혼자'와 '말'이 합쳐진 낱말로 사이시옷을 넣어 씁니다.

10-8 글쓰기 실력 키우는 관용어 익히기

01. 코가   02. 열두 번

03. 혀를   04. 눈살을

05. 군침이   06. 미역국을

memo